PU

Chères lectrices,

Ah, la rentrée ! Quelquefois, même les adultes l'envisagent avec une pointe d'appréhension… Car s'il faut convaincre les petits que la nouvelle année scolaire va être pleine de bonnes surprises, il faut avouer que, de notre côté, nous ne sommes pas toujours très enthousiastes à l'idée de reprendre le travail ! Dans ce cas, pourquoi ne pas se motiver en énumérant quelques avantages de cette période particulière ?

- 1) La rentrée, c'est le retour à la vie « normale ». D'ailleurs, reconnaissons-le : à la fin des vacances, nous commencions à nous ennuyer…

- 2) A la rentrée, il y a toujours des surprises — bonnes et mauvaises ! Certes, il y a eu une fuite d'eau dans l'appartement, mais les nouveaux voisins qui l'ont provoquée sont si sympathiques qu'ils deviendront sûrement des amis…

- 3) La rentrée, c'est la période d'inscription de nos chères têtes blondes à toutes sortes de loisirs — tennis, danse, percussions, sculpture, etc. Pourquoi ne pas en profiter, nous aussi, pour commencer une nouvelle activité ?

Alors, qu'en dites-vous ? Ces exemples vous inspirent-ils ? Personnellement, je suis sûre que vous trouverez une foule d'autres idées pour démarrer ce mois de septembre du bon pied !

Très bonne lecture et rendez-vous le mois prochain !

La responsable de collection

Quiproquo amoureux

DARCY MAGUIRE

Quiproquo amoureux

COLLECTION AZUR

*éditions*Harlequin

Cet ouvrage a été publié en langue anglaise
sous le titre :
ALMOST MARRIED

Traduction française de
CAMILLE MATHIEU

HARLEQUIN®

est une marque déposée du Groupe Harlequin
et Azur ® est une marque déposée d'Harlequin S.A.

© 2003, Debra D'Arcy. © 2004, Traduction française : Harlequin S.A.
83-85, boulevard Vincent-Auriol, 75013 PARIS — Tél. : 01 42 16 63 63
Service Lectrices — Tél. : 01 45 82 47 47
ISBN 2-280-20329-4 — ISSN 0993-4448

1.

Cassie ouvrit péniblement les yeux et le regretta aussitôt tant la lumière l'aveugla. Qu'avait-elle bien pu boire hier soir ?

Elle referma les yeux et tira un peu plus la couverture sur elle, avec un soupir paresseux. Elle n'avait aucune envie de se lever.

Soudain, quelqu'un toussa. Une toux grave. Une toux d'homme.

Cassie esquissa un sourire. Dans une semaine, elle épouserait Sebastien, cet homme intelligent et ambitieux. Il devait être environ 7 h 20 et, comme à son habitude, il était certainement en train de se préparer pour aller au travail, coiffant soigneusement ses cheveux couleur sable, choisissant une cravate coordonnée à son costume impeccable et rangeant méticuleusement ses papiers dans son attaché-case noir. Il fallait qu'elle se lève pour lui dire au revoir.

Elle cligna des yeux et observa l'oreiller à côté d'elle qui portait encore l'empreinte de son fiancé. Les yeux encore embrumés de sommeil, elle aperçut une rose rouge.

Elle sentit les effluves de la fleur et sourit : Sebastien n'était pourtant pas du genre romantique. Elle tendit la main vers l'oreiller abandonné et caressa les pétales délicats.

— Quelle heure est-il ?

— Ah, vous êtes réveillée, tant mieux.

A ces mots, Cassie sentit son sang se glacer dans ses veines. Ce n'était pas la voix de Sebastien ! Celle-ci était plus profonde, plus rauque et totalement inconnue. Elle se releva brusquement.

Un inconnu se tenait au pied du lit. Il devait avoir dans les trente ans, portait un pantalon noir et une chemise blanche qui mettait en valeur ses larges épaules et son ventre plat. Il était beau, avec de grands yeux noirs pétillant d'intelligence et une mèche de cheveux bruns qui lui barrait le front. Il avait de grandes mains et ses lèvres pleines semblaient réprimer un sourire.

— Qu'est-ce que… ? Qui êtes-vous ?

— Je m'appelle Matthew Keegan. Et vous ?

Son ton désinvolte la fit frissonner. Elle examina la pièce et ne reconnut ni le papier peint pastel de sa chambre, ni les murs blancs de l'appartement de Sebastien. Les murs étaient couleur citron et la pièce aux fenêtres encastrées meublée dans un style résolument moderne.

« Mon Dieu, je suis complètement perdue ! » songea Cassie, affolée.

En baissant les yeux, elle se rendit compte qu'elle était également nue ! Elle remonta d'un coup sec le drap jusqu'à son menton pour masquer son corps. Elle rougit jusqu'aux oreilles et son esprit s'emballa. Pourquoi ne portait-elle aucun vêtement ? Elle mettait toujours une chemise de nuit d'habitude. Toujours.

— Où est Sebastien ? demanda-t-elle d'une voix suraiguë.

— Qui ? fit son compagnon d'un air étonné.

Elle se creusa les méninges pour essayer de comprendre ce qui se passait. Les questions se bousculaient dans sa tête, mais elle était incapable de réfléchir.

— Qu'est-ce que je fais ici ?

— Ça m'a l'air plutôt clair, non ?

L'inconnu prit une profonde inspiration et baissa les yeux.

— On a passé un moment très agréable, reprit-il.

Cassie sentit sa gorge se serrer. C'était impossible. Elle ne pouvait pas avoir fait ça. Elle était une fille simple, sans histoire : elle n'avait pas changé de travail, d'appartement, ni même de coupe de cheveux depuis cinq ans ! Les gens comme elle ne se retrouvaient jamais dans ce genre de situation.

— On n'a pas… ?

Elle regarda l'oreiller à côté d'elle.

— Je n'ai pas… ? Pas avec vous !

L'homme hocha la tête.

— Je peux vous assurer que si.

Il se détourna et lissa sa chemise du plat de la main.

— Maintenant, si vous voulez bien m'excuser, j'ai du travail, dit-il en s'emparant d'un dossier posé sur une chaise au pied du lit.

— Non, attendez ! s'exclama Cassie.

Pas question que cet homme s'en aille sans lui en dire plus ! Il lui fallait absolument des explications. Car cela n'avait aucun sens, elle n'aurait jamais…

— S'il vous plaît, attendez ! s'écria-t-elle en voyant qu'il se dirigeait vers la porte d'un pas décidé.

Elle bondit maladroitement hors du lit, enroulant tant bien que mal le drap autour d'elle pour essayer de cacher sa nudité. Elle tenta de toutes ses forces de se souvenir de la nuit précédente mais rien à faire, son cerveau refusait de fonctionner correctement.

— Voyez-vous… je ne me souviens de rien.

A ces mots, l'inconnu se retourna, la main sur la poignée de la porte, et la transperça de son regard noir.

— Ne vous inquiétez pas. Vous avez été magnifique.

Cassie manqua de s'étrangler. Elle releva vivement le menton et foudroya son compagnon du regard. Il devait mesurer au moins une tête de plus qu'elle. Certes, il était *assez* beau pour attirer son attention et son parfum était enivrant, mais elle n'aurait jamais trompé Sebastien avec un inconnu, et encore moins avec un type aussi arrogant. Qui avait en plus l'audace de lui sourire !

C'en était trop. Elle le gifla violemment et explosa :

— Ce n'est pas ce que je voulais dire. Qui êtes-vous à la fin ?

— Je vous l'ai dit : Matt Keegan.

Il se frotta la joue à l'endroit où elle l'avait frappé.

— Et vous êtes ?

Elle scruta ses yeux d'un noir profond, abasourdie.

— Vous ne connaissez pas *mon* nom ?

— Non. Nous étions… trop occupés, lâcha-t-il tout en laissant lentement glisser son regard le long du drap jusqu'à ses pieds nus.

Cassie se sentait à présent les nerfs à fleur de peau.

— Oh non…, gémit-elle en secouant violemment la tête.

Matt hocha la tête en évitant son regard puis se détourna.

Cassie le retint alors par le bras.

— Vous ne comprenez pas, reprit-elle avec difficulté. Je me marie le week-end prochain.

D'ailleurs, son mariage serait parfait : elle avait tout prévu, jusqu'au moindre détail ; toute sa famille serait réunie pour l'occasion. Malheureusement, ce qui se passait en ce moment ne cadrait pas du tout avec ses plans.

Il évita son regard.

— Vous ne devez pas aimer tant que ça votre fiancé puisque vous avez couché avec moi.

— Ecoutez, dit-elle, furieuse, je me suis peut-être réveillée dans votre lit…

— Nue.

— Nue, répéta-t-elle tandis que son regard se posait sur le col ouvert de la chemise de son compagnon qui laissait entrevoir une légère toison de boucles brunes. Mais… rien ne prouve qu'il s'est passé quelque chose, ajouta-t-elle.

— Ah bon ? J'ai pourtant le souvenir de certains détails intéressants qui…

Elle leva la main pour le faire taire, devinant très bien ce qu'il s'apprêtait à dire.

— Si vous étiez aussi soûl que moi, il semble peu probable que nous ayons pu faire quoi que ce soit !

Pourtant, elle se demandait comment elle avait réussi à se mettre dans un état pareil avec le peu qu'elle avait bu.

— Très bien, si vous le dites. Du moins, si ça peut vous rassurer, ajouta Matt d'un air narquois.

Non, ça ne la rassurait pas du tout. Elle n'arrivait pas croire qu'elle ait pu faire l'amour avec cet homme !

Il fallait absolument qu'elle sache comment tout cela avait pu arriver. Et vite. Elle devait se marier dans cinq jours.

2.

Matt Keegan quitta précipitamment la chambre et claqua la porte derrière lui. Comment avait-il pu se fourrer dans une telle situation ?

Il traversa la coursive au pas de charge. Il n'aurait jamais cru qu'annoncer à une femme qu'ils avaient passé la nuit ensemble puisse être aussi désagréable. Il avait mauvaise conscience. Pourtant, il n'avait pas eu le choix.

Un homme en uniforme bleu et blanc l'interpella.

— Monsieur Keegan, ils vous attendent sur la passerelle.

— J'arrive.

Il consulta sa montre. On lui avait assuré que l'inconnue dans sa cabine ne mettrait que quelques minutes à se réveiller, pourtant cette dernière n'avait ouvert les yeux qu'au bout de deux heures. Et il n'avait pas pu se résoudre à la tirer du sommeil ; il avait préféré lire son fichu dossier des centaines de fois. Ce qu'il avait fait était déjà assez répréhensible sans qu'il en rajoute en lui flanquant une peur bleue.

Matt inspira à fond. Le travail. Il devait absolument se concentrer sur son travail. Au moins, c'était sans danger. Mais son esprit s'égara.

Les cheveux de l'inconnue étaient d'un noir profond et coupés presque aussi courts que les siens. Il n'avait pu s'empêcher de remarquer sa peau laiteuse, mais ce qui l'avait véritablement troublé, c'était ses grands yeux verts… et sa poitrine.

Il se passa la main dans les cheveux et pressa le pas pour refouler le désir qui le taraudait. Il n'aurait jamais dû faire ça. Elle avait eu l'air si blessée, si bouleversée, complètement perdue.

Soudain, il eut un pincement au cœur en pensant à Rob et soupira. Il n'avait pas pu agir autrement…

La passerelle du paquebot était un véritable concentré de technologie moderne avec ses commandes dernier cri. Matt ne put réprimer un sourire. Son entreprise avait été choisie pour équiper ce nouveau paquebot de croisière et c'était là un de leurs plus gros contrats.

Le capitaine se tourna vers lui.

— Content de vous voir. Dommage que vous ayez raté le lancement.

— Je sais mais je n'ai pas pu me libérer. Comment ça s'est passé ?

A travers la vitre, Matt contempla l'océan et la proue immense du navire.

— Sans aucun problème.

Matt éprouva une grande fierté : son équipe avait supervisé l'opération et mené à bien le lancement de l'énorme bateau. Il savait qu'il pouvait faire confiance à ses hommes.

Il contrôla les commandes et les équipements, lisant les données sur les écrans de contrôle par-dessus l'épaule des techniciens. Tout ce système avait été conçu spécialement pour le paquebot.

Il appela Carl. C'était un homme solidement charpenté, qu'on imaginait plus aisément aux commandes d'une Harley que devant un écran d'ordinateur.

— Où est Rob ?

Carl releva ses manches, dévoilant un tatouage rouge et noir représentant un cobra.

— Sur le pont C, au poste de sécurité. Il y a un petit pépin là-bas.

Matt hocha la tête. Rob saurait maîtriser le problème, il n'y avait aucune inquiétude à avoir.

Il ne put s'empêcher de repenser à la fille dans sa cabine. Au moins, il avait joué son rôle et maintenant, il était débarrassé. S'il parvenait à effacer de sa mémoire l'image de ce visage vulnérable, il pourrait probablement oublier tout ce qui venait de se passer.

Il s'assit et se concentra sur son travail. Il respira profondément pour se calmer. Il n'avait pas à s'inquiéter. Tout était fini. Il n'aurait plus à mentir.

Cassie s'adossa à la porte, pressant ses doigts contre ses tempes. Elle regarda ses vêtements éparpillés à travers le salon, qui retraçaient son parcours de la veille jusqu'au lit.

Elle devait respirer à fond et surtout, ne pas paniquer. Ce n'était peut-être pas ce qu'elle croyait. Ce devait être une simple mise en scène, une farce. Ses amies et ses collègues de bureau adoraient ce genre de blague. Elle observa la pièce silencieuse et sentit un poids peser sur sa poitrine. Elle ne trouvait pas ça drôle.

Elle frissonna tandis que des souvenirs remontaient à la surface. Son premier béguin. Une cruelle plaisanterie.

A quatorze ans, elle faisait une proie facile, portant son cœur en bandoulière. Ce n'était un secret pour personne qu'elle était amoureuse de ce garçon, bien au contraire. Le principal sujet de conversation des filles pendant la récré et le déjeuner, c'était de savoir qui aimait qui. Evidemment, Cassie savait qu'elle n'avait aucune chance : toutes les filles étaient folles de lui et elle était loin d'être parfaite avec son visage encore poupin.

Pourtant, la carte de Saint-Valentin qu'elle avait trouvée dans son casier, même si elle était tout sauf romantique, avait eu le mérite d'être claire. *Il* l'avait remarquée. A cet instant, son cœur naïf s'était emballé, rempli d'espoirs fous.

Il lui donnait rendez-vous, lui demandant de le rejoindre au plus vite et elle avait été assez idiote pour croire chaque mot. Elle n'avait jamais couru aussi vite de toute sa vie. Dix minutes plus tard, elle se retrouvait en face de lui et de toute sa classe, hilares. Elle aurait dû les ignorer, mais elle en avait été incapable. Et cette humiliation l'avait traumatisée.

Au souvenir de ces instants pénibles, sa gorge se serra. Elle regarda son poignet, il était nu. Où était passée sa montre ?

L'horloge sur le bureau indiquait 10 heures et demie.

Cassie leva les yeux au ciel. Décidément, sa journée avait très mal commencé ! Qu'allait dire son rendez-vous de 9 heures ? Et celui de 10 heures ? Voilà qui remettait en question la ponctualité et le professionnalisme dont elle se targuait, pour son propre compte et celui de son équipe. A présent, elle pouvait dire adieu à la crédibilité de son cabinet-conseil en gestion du temps.

Mais elle n'eut pas l'occasion de s'appesantir sur ce sujet car soudain, la pièce se mit à tanguer.

Elle tendit les bras pour garder l'équilibre. De deux choses l'une : soit elle était encore soûle, soit les murs et le plancher bougeaient.

La pièce était exiguë. A la vue des murs lambrissés, de l'espace réduit et de la décoration minimaliste et impersonnelle, elle pensa à une chambre d'hôtel ou à l'intérieur d'une caravane.

La fenêtre était grande et hermétiquement fermée. Cassie appuya ses mains contre la vitre et contempla le ciel bleu qui s'étendait à perte de vue au-dessus de la mer agitée.

Elle était toujours à bord du paquebot où avait eu lieu la soirée de la veille !

Elle essaya de se calmer, posant ses mains sur la vitre froide. Elle aurait voulu respirer une grande bouffée d'air frais pour s'éclaircir les idées et donner un sens à tout cela.

Il n'y avait aucune terre en vue.

Elle resta plantée au milieu de la pièce, essayant vainement de comprendre comment elle avait pu se retrouver dans une telle situation.

Les images d'une soirée entre filles lui revenaient clairement à la mémoire. Cela avait été une agréable surprise de retrouver toutes ses amies et collègues, alors qu'elle croyait simplement passer un dîner en tête à tête sur le paquebot avec son politicien plein d'avenir. Sebastien avait dû se donner beaucoup de mal pour tout organiser. Mais enfin, il s'agissait d'une soirée, pas d'une croisière !

La soirée avait été très réussie, elle avait reçu de magnifiques cadeaux. D'ailleurs, Eva, la secrétaire de Sebastien, avait dû les emporter en partant ; mais pourquoi diable l'avait-elle laissée toute seule, elle, la future mariée ?

Cassie se tordit les mains. Il lui fallait absolument son agenda. Sa vie entière se trouvait à l'intérieur. Elle respira longuement. On était lundi, il ne fallait pas se leurrer : elle ne pourrait jamais prévenir ses clients et annuler les rendez-vous prévus pour la journée. Mais elle devait absolument organiser le reste de son emploi du temps.

Bon sang ! Si au moins elle avait eu son agenda, la situation n'aurait pas été si grave – parce que, pour le moment, elle frisait la catastrophe. Qui sait même si elle allait pouvoir se rendre à son mariage ?

Elle se retourna et aperçut alors son pantalon noir roulé en boule près de la porte. Le ramassant, elle le serra nerveusement contre elle puis se baissa pour attraper son chemisier crème qui gisait non loin, comme un rappel de son comportement indécent de la veille. Mais le pire était encore à venir… Car Cassie avisa soudain son soutien-gorge enroulé autour du bras d'un fauteuil puis découvrit sa petite culotte nichée entre les couvertures du lit.

Ce n'était pas juste ! Pourquoi fallait-il qu'au moment même où sa vie prenait une tournure parfaite, un imbécile vienne tout flanquer par terre ?

Soudain, elle aperçut sa montre sur le sol, à côté de la table de chevet. Cassie ajusta le bracelet doré à son poignet puis regarda la trotteuse suivre sa course sur le cadran. Elle sourit. Dans cette journée chaotique, elle aurait au moins un élément de stabilité auquel se raccrocher : l'heure.

La chambre ne semblait plus contenir aucun de ses effets personnels, pas même son sac à main. Elle se mordit la lèvre. Quelqu'un avait peut-être profité de son état pour lui voler ses affaires ?

Dans la salle de bains, elle observa son reflet dans le miroir. Si Sebastien la voyait ainsi, les yeux hagards, il prendrait certainement peur. Sans compter qu'il voulait toujours savoir où elle se trouvait et avec qui ! Il fallait à tout prix qu'elle parvienne à le joindre, il trouverait sûrement un moyen de la tirer de là.

Sebastien… Quelle serait sa réaction quand il apprendrait ce qui s'était passé cette nuit ? Pas besoin d'être extra-lucide pour deviner qu'il prendrait la chose très mal. Tout ça à cause d'un inconnu charmeur et sans scrupule…

Pour Cassie, il ne faisait aucun doute que Matt Keegan était suffisamment attirant et dénué de sens moral pour séduire n'importe quelle femme, par tous les moyens. Peu importe qu'elle soit soûle ou fiancée — ce goujat ne s'embarrassait pas de tels détails !

Furieuse, Cassie enfila ses vêtements et chaussa ses escarpins. Sebastien n'avait pas besoin d'être mis au courant. De toute façon, personne ne la connaissait sur ce bateau... Mon Dieu, elle ne savait même pas où elle était ! Sa seule certitude était qu'elle se trouvait à bord d'un paquebot qui l'éloignait chaque minute un peu plus de l'Australie.

Mais elle n'allait pas se laisser abattre ! Après tout, elle avait toujours réussi à surmonter les obstacles que la vie avait semés sur son chemin. Il n'y avait pas de raison qu'il en soit autrement aujourd'hui.

Elle observa le lit derrière elle et tressaillit à la vue des draps froissés. Il fallait absolument qu'elle découvre ce qui s'était exactement passé entre Matt Keegan et elle au cours de la nuit. Et quand elle le saurait, elle ne manquerait pas de lui faire savoir ce qu'elle pensait de lui et de son comportement inconsidéré. Puis elle rentrerait chez elle et se marierait. Point à la ligne.

3.

— Monsieur Keegan ?

Un officier tapota l'épaule de Matt pour attirer son attention.

Matt leva la main. Ce n'était pas le moment de l'interrompre. Il venait de passer deux heures à vérifier le système de navigation et il avait presque terminé. Il n'en avait plus que pour quelques minutes…

Il songea qu'il avait eu beaucoup de chance jusqu'à présent. Après le lycée, on lui avait accordé une bourse pour étudier à l'Université de Bond puis il avait décroché un travail dans l'entreprise de Thomas Boyton, un homme d'affaires très versé dans les nouvelles technologies. Grâce à cet homme, Matt avait pu se spécialiser dans l'électro-informatique, un domaine qui le fascinait depuis toujours. Désormais, l'équipe qu'il dirigeait était certainement la plus performante de toute l'Australie. Il n'avait donc aucune raison de se faire du souci.

L'homme derrière lui s'éclaircit la voix et ajouta :

— Monsieur Keegan, une jeune femme vous demande.

— Une quoi ? s'enquit Matt, toujours occupé à regarder les colonnes de chiffres qui défilaient sur l'écran de son ordinateur.

— Une femme, répéta le jeune homme, gêné. Vous savez, un membre du sexe opposé, ajouta-t-il un ton plus bas.

Qui donc pouvait l'interrompre maintenant ? se demanda Matt. Il avait du travail, bon sang ! Faisant un effort sur lui-même, il leva la tête pour voir ce qui se passait.

C'est là qu'il la vit sur le pas de la porte. Elle s'était douchée et avait revêtu un pantalon et un corsage de soie qui mettait en valeur sa poitrine voluptueuse. Ses cheveux de jais étaient coiffés en arrière, tandis qu'une mèche retombait sur son front. C'est alors qu'il reçut de plein fouet le regard assassin de ses magnifiques yeux verts.

— Très bien, faites-la patienter, dit-il avec un certain embarras. Je n'en ai plus pour longtemps.

Après le départ de l'officier, il baissa vivement la tête, luttant contre le sentiment de culpabilité qui montait en lui.

Il tenta de se concentrer sur les centaines de données affichées sur l'écran… Si ces chiffres correspondaient aux prévisions qu'ils avaient faites, ce voyage pourrait bien se transformer en une pause bien méritée… En tout cas, dans un monde parfait, cela pourrait marcher. Mais Matt connaissait assez son travail et les ordinateurs pour savoir que les choses pouvaient très vite mal tourner.

— Monsieur ?

— Quoi encore ? répondit-il d'un ton brusque.

Il appuya sur une touche et regarda le jeune officier d'un air agacé. Il avait eu assez de mauvaises nouvelles pour l'instant.

— Cette jeune femme a dit qu'elle ne bougerait pas d'un pouce tant que vous ne lui aurez pas parlé, déclara l'officier, mal à l'aise.

— Eh bien, elle n'a qu'à rester là où elle est pour l'instant, lança Matt en serrant les poings.

Il se força à ne pas regarder en direction de la porte. Il n'avait jamais été question qu'il passe plus de cinq minutes avec cette femme et il n'avait nullement l'intention de continuer à jouer cette comédie plus longtemps.

— Mais monsieur, elle gêne le passage.

Bon sang ! Il aurait dû se douter que ça ne serait pas aussi facile qu'on le lui avait assuré. De toute façon, rien n'était jamais simple avec une femme.

Il appuya rageusement sur les touches de son ordinateur pour sauvegarder les données puis demanda à Carl, son collègue, de les imprimer.

— Pas de problème, dit ce dernier, visiblement intrigué par la présence de la jeune femme.

Tandis que Matt rejoignait Cassie d'un pas rapide, il redoutait déjà les nombreuses questions dont elle n'allait pas manquer de l'assaillir. Il avait un travail à effectuer, bon sang ! Il s'était pourtant montré clair dès le départ, mais voilà qu'il se retrouvait impliqué jusqu'au cou dans cette histoire sordide.

En la voyant, le menton volontaire et la tête haute, il devina tout de suite qu'elle n'allait pas lui faciliter la tâche.

Il n'avait jamais été question que ça se passe de cette façon. Il regarda Cassie d'un air autoritaire, espérant la dissuader de faire une scène.

Mais celle-ci ne sembla pas impressionnée le moins du monde. Ses yeux verts brillant d'intelligence flamboyaient de colère.

Cassie était furieuse. Furieuse contre elle-même de s'être fourrée dans ce pétrin et doublement furieuse contre Matt qui était responsable de la situation.

Matt Keegan était beau, et alors ? La façon dont il la regardait à l'instant précis n'avait rien de tendre et ne l'incitait pas vraiment à tomber dans son lit.

— Ecoutez mademoiselle, je suis très occupé, commença-t-il de sa voix profonde et suave.

Il n'en fallait pas plus pour irriter Cassie.

— Vous ne semblez pas si occupé que ça, d'après ce que je vois. Vous avez une responsabilité envers moi.

— Vraiment ? Laquelle ?

Il se tenait très droit, les bras croisés sur sa large poitrine, ses épaules puissantes tendant l'étoffe de sa chemise.

— Commencez déjà par me dire où je suis, dit-elle en le fixant d'un regard qu'elle espérait glacial.

— Sur le pont d'un bateau.

— Je m'en étais rendu compte, merci bien.

Lorsqu'elle s'était aperçue qu'elle n'avait aucune chance de croiser Keegan dans les coursives du paquebot, elle s'était mise en devoir de trouver la salle des officiers. Après avoir erré pendant ce qui lui avait semblé une éternité, elle avait encore eu toutes les peines du monde à persuader l'un d'entre eux de la conduire jusqu'à Keegan.

— Où allons-nous ?

— En Nouvelle-Zélande. C'est le voyage inaugural de *La Princesse du Pacifique*.

— Pardon ?

Mais elle devait se marier dans cinq jours ! Si elle ratait son propre mariage à cause de lui... elle l'étranglerait.

— Combien de temps cela va-t-il prendre ? reprit-elle.

— La croisière dure quatorze nuits et quinze jours, à quelques heures près, bien sûr. Je ne voudrais pas que vous m'accusiez de vous avoir mal informée.

Cassie prit une profonde inspiration pour se calmer. S'il croyait qu'elle n'avait que cela à lui reprocher, il rêvait. La liste de ses récriminations était interminable et, qu'il le veuille ou non, il allait les entendre.

— Quand est prévue la prochaine escale ? s'enquit-elle en croisant les doigts.

— Pas avant jeudi, au port de Dunedin. Nous entamerons ensuite un circuit autour des différentes îles de la Nouvelle-

Zélande puis nous ferons de nouveau cap sur l'Australie, ajouta-t-il d'un ton presque indifférent.

Cassie était effondrée. Avait-il la moindre idée de ce que leurs agissements de la veille impliquaient pour elle ?

Bon, il fallait voir la vérité en face : elle était coincée sur ce fichu paquebot jusqu'à jeudi. Heureusement qu'elle n'avait pas en plus de souci à se faire pour l'organisation du mariage. Car tout était prêt pour samedi : le gâteau était commandé, les invitations envoyées, et l'église réservée. Elle s'était également occupée de la salle de réception et du traiteur, et sa robe l'attendait dans sa penderie. Elle espérait que, de leur côté, les demoiselles d'honneur n'avaient pas oublié d'aller chercher leur robe. Dès que le bateau accosterait à Dunedin, elle se précipiterait à l'aéroport et prendrait le premier vol en partance pour l'Australie, se dit-elle pour se rassurer.

Son mariage ne serait pas un désastre, c'est certain. Et puis, même s'il restait des détails de dernière minute à régler, elle pouvait toujours compter sur ses amies pour l'aider.

L'attitude d'Eva l'avait d'ailleurs beaucoup surprise car elles n'avaient jamais été très proches l'une de l'autre. Pourtant, c'était apparemment elle qui avait organisé la soirée de la veille, engageant un strip-teaseur pour l'occasion. Cassie se mordit la lèvre, essayant de se remémorer les détails de la fête malgré son esprit embrumé. Elle ne se souvenait pas avoir vu un autre homme ce soir-là.

— Je sais, vous êtes le strip-teaseur ! lança-t-elle soudain.

— Je vous demande pardon ? répliqua Matt en jetant des regards autour de lui.

D'après les murmures qui s'élevaient autour d'eux, Cassie eut la nette impression que Matt Keegan allait devoir passer sous un feu de questions après son départ. Elle ne put réprimer un sourire.

— Je ne vois pas d'autre explication possible puisque c'était le seul homme présent à la fête hier soir, énonça-t-elle calmement. Comment vous aurais-je rencontré autrement ?

— Ecoutez… comment vous appelez-vous ? lui demanda-t-il en la regardant dans les yeux.

— Cassie Win…, commença-t-elle à répondre avant de s'interrompre.

Il n'avait pas besoin de connaître son nom. D'ailleurs, il était préférable que personne ne le connaisse, ainsi aucun détail de cette histoire rocambolesque n'arriverait aux oreilles de Sebastien.

— Très bien, Cass, pour le moment je suis occupé, dit-il tout en faisant signe à un officier d'approcher. Pouvez-vous accompagner Mlle Win à sa cabine ? commanda-t-il.

— Bien sûr, répondit le jeune homme, tout sourire. Quel est votre numéro de chambre ?

— Je n'en ai pas, répondit-elle en se tournant vers Matt.

De quel droit l'appelait-il Cass et comment avait-il pu oublier qu'elle n'avait pas de cabine ?

— Je me suis réveillée dans votre lit, vous vous rappelez ?

— Trouvez une cabine à Mlle Win, voulez-vous ? dit Matt en s'adressant à l'officier d'un air gêné.

— Je suis désolé, monsieur, mais toutes les cabines sont occupées. Si cette jeune femme n'a pas de cabine, elle est techniquement une passagère clandestine.

— Vraiment ? répondit Matt en se frottant le menton. Et d'habitude, que faites-vous des clandestins ? ajouta-t-il en soutenant le regard de Cassie. Vous les obligez à laver le pont et à faire la plonge… ou bien vous les jetez tout simplement par-dessus bord ?

L'officier les regarda l'un après l'autre, ne sachant que répondre.

— A moins que cette demoiselle ne soit votre invitée ? suggéra-t-il d'un ton plein d'espoir.

Cassie, furieuse, fixa Matt, attendant sa réponse. Mais celui-ci restait obstinément silencieux. Elle compta jusqu'à dix ; elle préférait lui accorder le bénéfice du doute. Après tout, même si elle était soûle, c'est lui qu'elle avait choisi pour passer la nuit avec elle. Il ne pouvait donc pas être si mauvais que ça.

Les secondes s'écoulèrent sans qu'il prononce un mot. Cassie commençait à bouillir. Il ne pouvait tout de même pas être aussi insensible et se sentir exempt de toute obligation envers elle ? Elle s'était réveillée dans son lit, bon sang ! En aucun cas elle n'irait s'en vanter, ça non. Elle préférait tout oublier. Et le plus vite possible !

Elle respira profondément.

— Merci infiniment pour votre aide, monsieur Keegan, lança-t-elle, sarcastique, mais je suis certaine que je m'en sortirai très bien toute seule.

Elle n'allait sûrement pas s'abaisser à quémander quoi que ce soit !

Cassie releva le menton d'un air décidé et passa un bras sous celui du jeune officier.

— Allons-y, dit-elle à ce dernier, il faut que je passe un coup de fil.

Matt s'interposa :

— A qui ?

— A mon fiancé, Sebastien. Mais ça ne vous regarde absolument pas, lui répondit-elle en lui lançant un regard méprisant. Vous vous êtes montré suffisamment clair quant à votre position à mon égard. Et, sans vouloir vous vexer, je suis sûre que Sebastien trouvera certainement un moyen pour me sortir de cette situation inconfortable, ajouta-t-elle tout en tentant d'entraîner l'officier.

— Très bien, fit Matt en se rapprochant d'eux.

Puis, sans la quitter des yeux, il ajouta :

— C'est ça, allez donc lui raconter ce qui s'est passé. Sur ce, au revoir.

Cassie hésita, soudain nerveuse à l'idée de parler à Sebastien. Qu'allait-elle lui dire ? Qu'elle s'était soûlée et était tombée dans les bras d'un autre homme ? D'ailleurs, comment expliquer son état alors qu'elle n'avait bu que deux malheureux verres et un cocktail qu'Eva avait absolument tenu à lui faire goûter. Finalement, elle n'était plus si sûre d'avoir envie de passer ce coup de téléphone.

Son dilemme lui faisait penser à celui de ces candidats qui venaient en couple pour participer à des talk-shows télévisés, et demandaient s'il valait mieux dire la vérité ou se taire. En avouant tout à son partenaire, le fautif avait une chance de se faire pardonner, mais il courait également le risque de se voir reprocher son écart de conduite à chaque dispute ou encore de sentir le ressentiment couver pendant des années. Ou alors, il pouvait tout simplement se faire plaquer. Oh non ! Une chose aussi horrible n'allait tout de même pas lui arriver !

Elle secoua la tête pour essayer de chasser ces pensées déprimantes. Inutile de se voiler la face, elle avait besoin d'aide. En relevant la tête, elle aperçut le regard suffisant de Matt et tourna les talons. Plutôt mourir que de demander à ce grossier personnage de lui porter secours, pensa-t-elle en traversant la coursive aussi vite qu'elle le pouvait. De toute façon, il refuserait de lui venir en aide.

Le problème, c'est que sa famille ne pourrait pas l'aider non plus. En effet, sa mère était en Europe et n'arriverait pas avant vendredi ; son père, qui se trouvait en Nouvelle-Guinée, ne serait pas là avant samedi matin ; quant à ses frères, le plus jeune se trouvait encore en Angleterre pour affaires et l'aîné, Gary, était aux Etats-Unis. Cassie aurait pu appeler une de ses amies mais elle savait très bien que celles-ci ne pourraient de toute façon rien pour elle. Elles n'avaient tout simplement ni les relations, ni l'argent nécessaires pour l'aider.

Cassie poussa un soupir à fendre l'âme : elle ne pouvait compter que sur elle-même.

Elle régla son pas sur celui de l'homme en uniforme à ses côtés et serra les poings. Matt Keegan agissait exactement comme s'ils ne se connaissaient pas. Pourtant, ils avaient bien dû coucher ensemble puisqu'elle s'était réveillée dans son lit. Mais comment s'était-elle retrouvée là ? Mystère !

— Nous y sommes, mademoiselle, lui dit l'officier en lui indiquant une rangée de cabines téléphoniques.

Sur ce, il s'éloigna discrètement, tout en gardant un œil sur elle.

Cassie n'en revenait pas : on la traitait comme une véritable criminelle ! De son point de vue, c'était elle, la victime. Le monde ne tournait vraiment pas rond aujourd'hui !

Elle tourna son regard vers le téléphone. Elle savait qui elle devait appeler et cette idée ne la réjouissait guère. Mais elle n'avait pas vraiment le choix.

Elle hésita un moment, tenant fermement le combiné, puis composa le numéro des renseignements avant d'être mise en relation avec son correspondant.

Après trois sonneries, qui lui parurent interminables, Eva décrocha. Elle semblait essoufflée.

— Bonjour Eva, ici Cassandra Winters. Je me demandais si vous pouviez me rendre un service. Comment dire… je me suis endormie sur le bateau hier soir et lorsque je me suis réveillée, on avait déjà levé l'ancre.

— Oh mon Dieu ! Et vous ne vous êtes rendu compte de rien ?

Eva se tut pendant une minute puis ajouta :

— Voulez-vous que je prévienne Sebastien ?

— Non merci. J'ai pensé que je pourrais en profiter pour m'accorder quelques jours de réflexion. Dites-lui seulement que je vais bien. Je lui parlerai à mon retour.

D'ici là, elle aurait le temps de trouver ce qu'elle lui dirait. Pour l'instant, elle en était totalement incapable.

— Pourriez-vous nourrir mon chat, si ça ne vous ennuie pas ? Vous avez toujours un double de mes clés, n'est-ce pas ?

— Bien sûr. Au fait, quelque chose ne va pas ? fit Eva d'une voix doucereuse. Vous voulez en parler ?

— Ce n'est rien, je suis juste un peu nerveuse à cause du mariage.

— Vous êtes sûre ? Si je peux faire quoi que ce soit, n'hésitez pas.

— Eh bien à vrai dire, pourriez-vous m'envoyer mon passeport et ma carte de crédit au port de Dunedin ? Ils se trouvent dans le tiroir du haut de ma commode.

C'était l'endroit où elle déposait sa carte bleue. Par prudence et aussi pour éviter de faire des folies dans les magasins, elle ne la prenait presque jamais dans son sac. Mais aujourd'hui, elle aurait préféré être moins prudente avec sa carte – qu'elle aurait eu à sa disposition en cet instant – et plus prudente avec Matt Keegan…

— J'ai conscience que c'est beaucoup demander mais je vous en serais très reconnaissante, ajouta-t-elle.

Elle savait que ça ne resterait pas un service gratuit car sous les dehors aimables d'Eva, Cassie pressentait que cette dernière n'était pas si bienveillante.

— Aucun problème, je m'en occupe. A bientôt, répondit Eva avant de raccrocher.

Cassie se retourna et regarda l'officier qui l'attendait toujours. Inutile de se voiler la face : elle n'avait pas de billet, pas de cabine et aucun chevalier servant ne se profilait à l'horizon.

— Alors, où est cette vaisselle ? dit-elle.

L'officier fit une légère courbette et lui annonça :

— M. Keegan vous invite à déjeuner à 13 h 30 au restaurant Le Royal pour discuter de la situation.

Ainsi, il avait fini par changer d'avis…, songea Cassie. Il était temps ! Matt Keegan avait grand besoin qu'on lui apprenne les bonnes manières et le sens des responsabilités.

— Bien, répondit Cassie, incapable de s'empêcher de sourire. J'ai également deux ou trois petites choses à lui dire.

Et elle n'allait pas mâcher ses mots.

4.

La salle à manger était somptueuse. Cassie se sentait toute petite rien qu'à la regarder à travers les portes vitrées du restaurant. Pour tout dire, elle ne se sentait pas très à l'aise sur ce paquebot de luxe. N'était-elle pas en train de faire une erreur en acceptant de revoir ce Matt Keegan ?

Le bateau étant composé de neuf ponts, elle avait mis un certain temps à trouver Le Royal. Mais maintenant qu'elle y était parvenue, elle ne se sentait pas rassurée pour autant. Elle se força à respirer calmement pour évacuer sa nervosité — sentiment qui n'avait, évidemment, rien à voir avec la perspective de déjeuner avec Matt !

En consultant sa montre, elle constata avec satisfaction qu'elle était juste à l'heure pour le rendez-vous.

Le parquet du restaurant avait été ciré à fond, l'éclairage était tamisé et la musique d'ambiance, agréable sans être soporifique, complétait l'atmosphère de relaxation et de détente qui régnait sur le paquebot.

Cassie aurait bien aimé pouvoir se laisser bercer par cette ambiance reposante, mais elle en était incapable : l'idée qu'on puisse la considérer comme une aventurière la révoltait.

Que n'aurait-elle donné pour se cacher dans un coin et tout oublier ! Mais il était inconcevable qu'elle oublie son propre mariage, ce jour qui devait être le plus beau de sa vie. Dès l'âge de quatorze ans, elle avait tout planifié, ajoutant de menus détails et quelques améliorations au fil des années. Le mariage était l'unique projet auquel elle n'avait jamais renoncé. Dès qu'elle serait mariée, sa vie serait parfaite.

Tout se passerait comme elle l'avait toujours rêvé… si l'on faisait exception de la centaine de personnes que Sebastien avait invitées, en plus de la presse, et du fait qu'elle avait couché avec un autre homme cinq jours avant son mariage.

Une fois dans le hall du restaurant, Cassie hésita un moment. La salle était bondée et elle ne put s'empêcher de sourire à la vue de tous ces gens qui portaient des chemises hawaïennes ; les passagers semblaient s'être donné le mot pour jouer à fond la carte du cliché ! Partout, ses yeux rencontraient des visages heureux et la pièce était emplie de rires.

Avec une pointe de déception, elle songea que son voyage de noces avec Sebastien ne se déroulerait pas dans une ambiance aussi détendue. En effet, son fiancé avait organisé un tour d'Europe de deux semaines et elle savait pertinemment qu'ils passeraient la plupart de leur temps à courir d'un bus à l'autre pour faire le plus de visites possibles, plutôt que se relaxer et savourer de précieux moments d'intimité.

Chassant cette pensée de son esprit, elle lissa son pantalon du plat de la main, désagréablement consciente du fait qu'elle portait les mêmes vêtements que la veille. Et pour couronner le tout, elle avait à présent vingt-cinq secondes de retard !

Cassie indiqua le nom de Matt au réceptionniste qui l'entraîna aussitôt vers une table pour deux sans se soucier de la file d'attente qui commençait à se former derrière elle.

Elle s'assit et s'empara de sa serviette, les yeux rivés vers l'entrée afin de ne pas manquer l'arrivée de son hôte. Pas question de se laisser prendre encore une fois au dépourvu !

C'est alors que Matt Keegan entra avec la détermination d'un taureau déboulant dans l'arène. Ses yeux avaient l'éclat de la pierre et ses sourcils froncés n'auguraient rien de bon. Il tira brusquement la chaise qui se trouvait en face d'elle et s'assit en faisant vivement signe au serveur d'approcher.

— Bonjour à vous aussi, lança Cassie en se penchant en avant pour tenter d'attirer son attention. Vous n'avez pas l'air de bonne humeur.

— C'est le moins qu'on puisse dire.

— Puis-je savoir pourquoi ? demanda-t-elle en essayant d'accrocher le regard de Matt qui restait obstinément fuyant.

— Je préfèrerais que nous en restions à une relation formelle, répondit Matt.

Cassie leva un sourcil en signe de surprise. Il plaisantait ?

— Vous vous moquez de moi ! Après ce qui s'est passé la nuit dernière ?

— Oui, fit son compagnon, légèrement mal à l'aise.

Cassie brûlait de découvrir ce qu'il cherchait à lui cacher derrière ses yeux mi-clos. Elle sentait qu'il s'agissait de quelque chose d'important mais Matt n'avait pas l'air de vouloir lui en parler. Peut-être avait-elle fait quelque chose cette nuit-là… dont il valait mieux qu'elle ne se souvienne pas.

Le serveur arriva et leur tendit le menu. Matt lui rendit immédiatement le sien sans même l'ouvrir et passa sa commande d'un ton désinvolte.

— Donnez-nous une bouteille de Riesling. Je prendrai également un potage, suivi d'un homard et d'une salade.

— Et que prendra madame ? s'enquit le serveur après avoir inscrit la commande de Matt sur son carnet.

Cassie fit la moue. Le choix de Matt la tentait beaucoup, mais elle était douloureusement consciente que, non contente de n'avoir ni bagages ni chambre, elle se trouvait également sans un sou.

— Je crains que madame ne soit à la merci de la bonté du gentleman assis en face d'elle, déclara-t-elle d'un ton mordant.

Matt sembla surpris un moment mais se reprit très vite.

— Commandez ce que vous souhaitez, c'est le moins que je puisse faire.

— En effet, dit-elle en levant un sourcil.

Pour une fois, il avait absolument raison. En fait, si ça n'avait tenu qu'à elle, Matt serait en train de lui demander pardon à genoux à l'heure qu'il était. Elle l'imaginait très bien, les yeux suppliants et les mains jointes, se répandant en excuses de sa voix profonde. Soudain, elle se pétrifia. Et si c'était elle qui avait pris l'initiative la nuit dernière ? Elle sentit le rouge lui monter aux joues et reporta son attention sur le serveur en espérant que Matt n'avait rien remarqué.

— Je vais prendre la même chose, merci.

Après le départ du serveur, un silence pesant s'installa. La situation était encore plus gênante que si Cassie s'était retrouvée avec un parfait étranger. En effet, ils avaient dépassé depuis longtemps le simple stade des politesses au cours duquel chacun fait semblant de s'intéresser à l'autre ; en vérité, ils avaient brûlé toutes les étapes pour aller directement au lit, si bien qu'elle trouvait maintenant parfaitement ridicule que Matt et elle restent assis là à tenter de se montrer courtois l'un envers l'autre.

Ce dernier se mit à tambouriner des doigts sur la table, ramenant Cassie à la réalité.

— Comment expliquez-vous que je me sois non seulement réveillée dans votre lit ce matin… mais qui plus est sans rien sur le dos ? Enfin, vous voyez ce que je veux dire…, ajouta-t-elle, rouge d'embarras.

— Je suis désolé mais je n'ai aucune réponse à vous donner, répondit-il en évitant de la regarder dans les yeux. De plus, je ne vois pas l'intérêt d'entrer dans les détails.

33

Cassie le regarda, médusée. S'il croyait qu'il allait s'en tirer aussi facilement !

— Vous étiez soûl, vous aussi ?

— Je ne me rappelle pas grand-chose, répondit Matt en haussant les épaules.

— Mais vous avez dit…

Son compagnon poussa un soupir d'exaspération et la dévisagea brièvement avant de poser les yeux sur son décolleté.

Troublée malgré elle, Cassie tenta de se ressaisir : il n'était pas gêné de la déshabiller ainsi du regard !

— A ce que je vois, vous vous souvenez tout de même de certains détails, lui asséna-t-elle brusquement. Les hommes sont bien tous les mêmes !

— Je ne vois pas de quoi vous voulez parler, soutint-il, le regard brillant.

Le serveur revint avec le vin et présenta respectueusement la bouteille à Matt, qui hocha la tête en signe d'assentiment.

— Au moins, j'ai du flair, affirma Cassie en buvant une gorgée du liquide.

— Pardon ? fit Matt en reposant son verre, l'air étonné.

— Apparemment, j'ai choisi un homme important, même si c'est un sale type.

— Comment ça, un sale type ! Tout ça parce que j'ai séduit une jolie femme ?

— Non, parce que vous avez profité de mon état d'hier soir pour parvenir à vos fins.

— C'est totalement faux, dit-il en secouant la tête.

— Alors pouvez-vous m'expliquer pourquoi je ne me souviens de rien ?

— Je n'en ai aucune idée, répondit-il en se rapprochant et en la regardant intensément. Avez-vous des problèmes de santé ?

— Non, répondit-elle en serrant les poings pour éviter de faire quelque chose qu'elle pourrait regretter par la suite.

34

Mais j'y pense, que fait un homme aussi important que vous à bord d'un bateau de croisière ? Tout le monde semble vous connaître, ici.

— Je travaille sur ce bateau, vous n'avez pas besoin d'en savoir plus. Inutile d'entrer dans les détails sur nos vies respectives.

— Oui, évitons de devenir trop intimes ! railla Cassie qui se sentait bouillir. Je me disais seulement que auriez pu vous sentir un peu coupable au sujet de votre attitude d'hier soir.

— Je vous signale qu'il faut être deux pour faire ce genre de choses, dit-il en se raidissant.

— Justement, quel genre de choses avons-nous faites ?

Cassie n'avait pas terminé sa phrase qu'elle se maudit intérieurement de l'avoir prononcée. En fait, elle ne tenait pas vraiment à tout savoir dans le détail.

Heureusement, le serveur coupa court à cet échange embarrassant en plaçant un bol de soupe fumante devant eux. Matt plongea aussitôt sa cuillère dans le sien et avala une première gorgée.

— Alors ? demanda Cassie.

— Alors quoi ? répondit Matt sans comprendre.

— Elle est à quoi ? précisa-t-elle, tout en espérant que la soupe contiendrait un ingrédient auquel son compagnon serait hautement allergique.

Elle serait ravie de le voir gonfler, devenir écarlate ou même se mettre à éternuer sans pouvoir s'arrêter.

— Aucune idée. Elle est bonne en tout cas, et plutôt crémeuse, fit-il en haussant les épaules.

— C'est un velouté d'asperges et de choux-fleurs, annonça fièrement le serveur vers qui Cassie s'était tournée.

Franchement, les hommes ! Ça n'intéressait pas ce Matt Keegan de savoir ce qu'il avait dans son assiette ? Ni de savoir qui elle était ou quelles conséquences la nuit dernière pouvait avoir sur son existence ? Elle avala une cuillère de potage, puis une autre, et encore une autre, avant de mordre férocement dans un morceau de pain en se forçant à mâcher lentement pour se calmer.

— Votre dernier repas remonte à longtemps, n'est-ce pas ? commenta Matt, qui s'était arrêté de manger pour l'observer.

Cassie releva la tête et fut frappée par son regard impénétrable. Son cœur s'emballa.

— Ce matin, je n'ai eu droit qu'à un réveil pour le moins déroutant et à une rose rouge : vous remarquerez qu'il n'y a rien de comestible là-dedans, répondit-elle.

A cette remarque, Matt toussota d'un air gêné et se remit à manger sa soupe. La tête penchée vers son bol, il évitait le regard de Cassie.

— C'était une délicate attention, cependant, reprit-elle en le regardant. J'aurais presque pu croire que vous avez un cœur, ajouta-t-elle d'une voix à peine audible.

Comme elle détestait cette façon de l'amadouer pour lui tirer les vers du nez ! Après tout, à quoi bon s'entêter ? Une nuit d'ivresse ne signifiait rien, pour elle comme pour lui.

Le serveur s'approcha avec leurs plats et Cassie sentit son appétit se réveiller lorsqu'elle huma le délicieux fumet du homard. La seule fois où elle en avait mangé, elle était en compagnie de Sebastien. A ce propos, que pouvait bien penser son fiancé de sa disparition subite ? se demanda-t-elle en contemplant la salade colorée qui accompagnait le crustacé.

— Ça va ? s'enquit Matt d'une voix douce.

Elle lui fit signe que oui en essayant de chasser toute pensée négative de son esprit.

— Alors, quel est le programme ? reprit-elle d'une voix qu'elle voulait ferme. Est-ce que je vais passer les trois prochains jours dans les cuisines et dormir dans un placard ou allez-vous enfin vous comporter en gentleman ?

— Bon, je veux bien admettre que je vous dois quelque chose. Je vais voir ce que je peux faire pour vous aider.

— Merci. Votre mère serait fière de voir que son éducation n'a pas été vaine.

— Ne mêlez pas ma mère à cette histoire, s'il vous plaît.

— Vous êtes un peu susceptible quand on aborde la famille, on dirait, fit-elle avec une moue provocatrice. Vous voulez qu'on en parle ? reprit-elle en regardant Matt attaquer son homard. Vos parents ont divorcé ?

— Non, répondit-il sur la défensive. Ils sont mariés depuis quarante ans et parfaitement heureux.

C'est aussi l'image que les parents de Cassie donnaient de leur couple jusqu'au jour où ils avaient divorcé ; elle avait dix-huit ans à l'époque. Elle insista :

— Ils sont toujours heureux ?

— Oui, fit-il, visiblement peu enclin à développer le sujet. Ecoutez, je vous ai déjà dit que je n'avais pas l'intention d'aborder ma vie privée avec vous.

— Très bien. Dans ce cas, je ne vous parlerai pas de la mienne non plus, déclara-t-elle en reprenant un peu de salade. En fait, je suis sûre que vous avez peur.

— Je serais curieux de savoir de quoi…

— D'apprendre que les membres de ma famille ont mieux réussi leurs carrières, qu'ils sont plus cultivés et appartiennent à un milieu social plus élevé, répondit-elle en levant le menton d'un air de défi.

Sur ce plan-là, elle ne mentait pas. Dans sa famille, ils avaient tous réussi, mais le revers de la médaille, c'est qu'ils étaient accros au travail. Les rares moments qu'ils passaient ensemble étaient presque chronométrés afin d'éviter toute perte de leur précieux temps !

— Personnellement, je ne pense pas que ce soit le plus important. Sont-ils heureux ? fit-il en croisant le regard de Cassie.

Celle-ci baissa la tête, prit son verre et but une gorgée de vin. Non, ils n'étaient pas heureux. Mais après tout, personne ne l'était vraiment. Le bonheur n'était qu'une chose éphémère que la réalité rattrapait inexorablement un jour ou l'autre.

Elle se reprit. C'était ses parents qui parlaient ainsi, pas elle. Ils avaient beau être agrégés en sciences et en mathématiques, leur fille avait finalement manqué de l'essentiel durant son enfance, malgré tout ce qu'ils pouvaient affirmer. Bien sûr, ils avaient de l'argent, une bonne position sociale et ils étaient cultivés. Mais ce n'était pas tout dans la vie, Cassie en était persuadée.

— J'ai touché un point sensible, semble-t-il.

— Pas du tout, articula-t-elle en souriant faiblement, luttant contre la vague familière d'insécurité qui montait en elle.

Néanmoins, la réponse de Cassie marqua la fin de leur conversation et ils terminèrent le repas dans un silence pesant.

Enfin, Cassie reposa ses couverts dans son assiette et s'essuya les mains sur la serviette chaude que venait d'apporter le serveur. Levant la tête, elle surprit Matt en train de l'observer.

— Donc, vous allez me trouver une chambre ? demanda-t-elle, d'un air hésitant.

— Non, répondit-il en la regardant intensément de ses grands yeux noirs aux éclats dorés.

— Pourtant, vous avez dit que…, bredouilla Cassie, surprise.

— Nous allons nous occuper ensemble de votre problème, coupa-t-il en se levant souplement avant de lisser son pantalon. De plus, il vous faut d'autres vêtements.

Cassie ouvrit la bouche mais aucun son n'en sortit. Elle tombait des nues.

— Mais n'allez pas vous imaginer je ne sais quoi. Je veux tout simplement éviter que vous ne veniez m'interrompre de nouveau dans mon travail.

A ces mots, Cassie se raidit. C'était typique de cet homme ! Elle se leva si brusquement que sa chaise heurta violemment le mur derrière elle.

— Alors, pourquoi ne retournez-vous pas à votre précieux travail et ne me laissez-vous pas me débrouiller toute seule ?

— Parce que, comme vous l'avez fait remarquer tout à l'heure, ma mère m'a bien élevé. Je tiens à m'assurer que vous ne manquiez de rien, répondit-il en l'invitant à sortir du restaurant.

— Vous espérez ainsi que je vous laisserai tranquille, lança Cassie d'un ton accusateur.

— C'est exact.

Cassie se retint de hurler. Elle se fichait pas mal de sa charité ! Ce qu'elle voulait, c'était qu'il s'excuse, qu'il lui promette de ne plus jamais se comporter comme il l'avait fait la veille. Un point c'est tout.

5.

Matt Keegan s'assit en soupirant dans le fauteuil de la boutique : Cassie Win était certainement la femme la plus insupportable — mais aussi la plus captivante — qu'il avait jamais connue…

Cette dernière sortit de la cabine d'essayage vêtue d'un jean et d'un minuscule débardeur blanc, qui mettaient délicieusement en valeur ses formes voluptueuses. A mesure qu'elle s'approchait, Matt sentit son corps s'enflammer.

— Vous aimez ? demanda-t-elle en écartant les bras. Bon, alors je les prends. Mais on est bien d'accord : je vous rembourse dès que je rentre chez moi.

— Pas de problème, répondit-il d'un ton laconique, tout en la détaillant des pieds à la tête.

Maintenant, Matt savait ce qu'un homme pouvait éprouver en se portant au secours d'une damoiselle en détresse : il se sentait extrêmement bien, même si c'était lui qui l'avait placée dans cette situation.

— Il vous faut aussi au moins une robe du soir, reprit Matt. Les tenues de soirée sont exigées après 18 heures.

— Il ne manquait plus que ça ! s'exclama Cassie en levant les yeux au ciel.

— Je croyais que les femmes adoraient faire du shopping ?

40

A vrai dire, il n'en avait jamais rencontré une seule qui n'aime pas cette activité.

— D'habitude, j'adore ça, mais quand je paye avec mon propre argent, répondit-elle d'une voix tendue en choisissant au passage quelques robes noires sur un portant.

Puis elle retourna dans la cabine d'essayage après lui avoir lancé un regard résigné.

Matt refoula la vague de désir qui montait en lui. Il fallait qu'il se fasse une raison : Cass était amoureuse d'un autre homme — elle n'était pas pour lui.

Dans sa vie, il avait eu pas mal d'aventures, mais aucune femme ne l'avait jamais attiré à ce point. Il avait toujours pensé que l'amour était la plus grande duperie de tous les temps, sortie tout droit de l'imagination des poètes. Mais là, il se sentait totalement chamboulé. Allons, il devait se ressaisir : même si elle était très attirante, Cass n'en restait pas moins une femme comme les autres.

— Je suis vraiment obligée de défiler devant vous ? demanda-t-elle soudain en passant la tête hors de la cabine d'essayage.

— Oui. J'aimerais autant voir ce que j'achète, répondit-il feignant l'ennui.

Cassie sortit alors de la cabine et Matt retint son souffle, subjugué. Après tout, il n'y avait aucun mal à regarder une jolie femme. Et Cassie en était une, il n'y avait pas de doute !

La robe noire dos nu qu'elle portait mettait tous les sens de Matt en émoi. Il ne savait pas ce qui le retenait de la prendre dans ses bras et de l'embrasser comme un fou. Il secoua la tête pour chasser ses pensées troublantes et tenta de concentrer son attention sur autre chose, mais ses yeux revenaient invariablement sur la silhouette voluptueuse de Cassie.

En se regardant dans le miroir, cette dernière tourna légèrement la tête de côté, révélant à Matt la peau nacrée de son cou, ce qui acheva d'affoler ses sens.

A la vue de son reflet, la jeune femme éclata de rire puis, se tournant vers lui, elle se rembrunit, les yeux emplis de reproches.

— J'espère que vous ne considérez pas ces vêtements comme un dédommagement pour m'avoir rendu service ? lui lança-t-elle d'un air irrité.

— Je n'y avais même pas pensé, se défendit-il.

Bon sang, il n'aimait pas la facilité avec laquelle elle lisait en lui. Etait-il à ce point transparent ?

— Tant mieux, dit-elle en lui jetant un dernier regard sus-picieux. Qu'en pensez-vous ? Vous ne croyez pas que c'est un peu trop voyant ?

Incapable de prononcer un seul mot, Matt lui fit signe de tourner sur elle-même.

Il se surprit à dévorer littéralement des yeux chaque parcelle de son corps sublime, électrisé à la vue de la courbe exquise de son dos, et de cette peau soyeuse qui appelait les caresses et les baisers.

Que lui arrivait-il ? Il l'avait déjà vue beaucoup plus désha-billée ce matin dans sa cabine, ce qui ne l'avait pas empêché de se maîtriser. Il n'avait donc aucune raison de se comporter comme un adolescent.

— C'est pas mal, dit-il le plus calmement possible.

— Je vais la prendre, annonça Cassie à la vendeuse, en essayant de ne pas penser au prix que cette robe devait coûter.

Mieux valait qu'elle n'en sache rien, sinon elle en ferait cer-tainement une crise cardiaque. Mais Cassie préférait encore s'endetter pendant des années plutôt que montrer la moindre marque de faiblesse en face de Matt.

Soudain, une voix de femme la tira de ses pensées.

— Ah, tu es là, s'exclama une inconnue à l'adresse de Matt.

42

La jeune femme, très belle, avait des yeux aussi sombres que sa longue chevelure et un teint hâlé que Cassie, trop pâle à son goût, lui enviait. Vêtue d'un élégant tailleur-pantalon, elle arborait une tranquille assurance.

Apparemment, Matt la connaissait puisqu'il se retourna et demanda :

— Qu'est-ce que tu fais ici ?

— Je pourrais te retourner la question, rétorqua la jeune femme d'une voix caressante. Tu devrais être au travail à l'heure qu'il est ; au lieu de ça, je te trouve en train de faire les yeux doux à une passagère.

— J'avais quelque chose à faire, répondit Matt d'un air embarrassé.

— Je vois ça, dit-elle en lançant un regard dubitatif en direction de Cassie. Apparemment, tu te montres plutôt généreux. Je pensais que tu avais un peu plus de jugeote que la moyenne.

Cassie était clouée sur place, le visage écarlate. Elle n'en revenait pas. Qu'insinuait cette femme ? Et d'abord, qui était-elle ?

— Je te remercie de t'inquiéter pour mon compte en banque, répondit Matt en se penchant pour embrasser l'inconnue sur la joue, mais je contrôle très bien la situation.

Cassie était sidérée. Alors, comme ça, elle était « sous contrôle » ! A cette idée, elle serra les poings. Il se trompait complètement : elle était totalement incontrôlable et il ne faudrait pas longtemps pour que Matt comprenne son erreur ! Il ne se doutait pas jusqu'où pouvait aller une femme qui se sentait prise au piège.

— On discutera plus tard, reprit l'inconnue avant de repartir aussi soudainement qu'elle était arrivée, sans même un regard pour Cassie.

— On se voit ce soir au dîner, lança Matt en la regardant s'éloigner, visiblement contrarié de la voir repartir si vite.

La beauté brune lui fit signe de sa main parfaitement manucurée et continua son chemin sans se retourner.

— Qui est-ce ? demanda Cassie, incapable de réprimer son énervement.

— Mesdames, je vous laisse terminer sans moi, déclara Matt en se tournant vers la vendeuse, ignorant ostensiblement la question. J'ai malheureusement du travail qui m'attend.

— Très bien, fit Cassie, réfrénant la foule de protestations qui lui venaient aux lèvres.

En fait, elle se fichait pas mal de savoir qui était cette femme, comme elle se fichait que Matt refuse de le lui dire. Rien d'autre ne lui importait que de quitter ce paquebot et de se marier au plus vite.

En se retournant, elle vit Matt signer une facture puis quitter la boutique sans lui accorder un regard. Cassie savait très bien pourquoi il se montrait si pressé tout à coup : il avait hâte de rejoindre la belle brune. A cette pensée, elle ressentit un besoin incontrôlable de prendre une petite revanche. Et si elle achetait tout le magasin ? Il en ferait une tête !

Elle poussa rageusement la porte de la cabine d'essayage, ôta la robe du soir et l'envoya valser. Toutes les femmes succombaient au charme de Matt, et alors ? Pour elle, il ne représentait rien, si ce n'est un mauvais souvenir qu'elle allait s'efforcer d'oublier.

Cassie s'installa dans un des fauteuils de la bibliothèque et regarda fixement les pages de son livre. Ses nouveaux achats soigneusement pliés dans des sacs à côté d'elle ne lui apportaient aucun réconfort. Elle n'avait même pas pu se résoudre à abuser de la carte de crédit de Matt, sachant très bien qu'elle n'aurait plus jamais été capable de se regarder dans une glace si elle l'avait dupé. Elle comptait bien le rembourser et n'avait pas les moyens de s'offrir une boutique de luxe !

Elle regarda les minutes défiler sur le cadran de sa montre. Il était plus de 17 heures et elle était toujours seule. Pour tromper son ennui, elle observa les couples souriants qui parlaient à voix basse par-dessus leurs livres. Ils semblaient si complices, si amoureux…, pensa-t-elle avec une pointe d'envie. Comme elle se sentait esseulée ! La seule personne qu'elle connaissait sur ce fichu bateau n'était qu'un vulgaire séducteur !

Cassie essaya de se concentrer sur son livre pour refouler son sentiment d'apitoiement. Peine perdue ! Alors qu'elle tournait les pages, elle ne pouvait détacher le regard de son annulaire nu. Elle ne portait même pas sa bague de fiançailles ! Sebastien avait en effet insisté pour qu'elle la laisse au coffre, hormis pour les grandes occasions.

Sebastien… Elle avait l'impression qu'il se trouvait à des millions de kilomètres. Si seulement elle avait ne serait-ce qu'une photo de lui, elle pourrait se remémorer à quel point ils étaient faits l'un pour l'autre !

A dire vrai, Cassie ne savait pas exactement à quoi ressemblerait sa vie une fois qu'elle serait devenue une femme publique, mais elle était certaine qu'avec un peu de temps et d'organisation, elle saurait s'adapter.

Elle se sentait soudain lasse. Si seulement elle pouvait s'allonger et dormir pour échapper à ce cauchemar !

Et puis, si Matt ne s'était pas précipité à la suite de cette femme, elle aurait une cabine à présent. Elle pourrait s'y enfermer et ne la quitter que pour débarquer à Dunedin.

Les hommes étaient vraiment des goujats ! pensa-t-elle, prise d'une subite envie de casser quelque chose. Depuis Tom, son béguin du lycée, elle n'avait connu que des déceptions sentimentales… jusqu'à Sebastien. Leur rencontre avait été plutôt mouvementée : elle lui était littéralement rentrée dedans à la sortie d'un parking ! Si on lui avait dit qu'elle rencontrerait l'homme de sa vie en remplissant un constat d'accident, elle ne l'aurait jamais cru ! C'était un coup du destin, sans aucun doute. Sebastien et elle étaient faits l'un pour l'autre — aux yeux de son fiancé, ils représentaient même le couple idéal.

17 h 45 : les minutes passaient à une lenteur désespérante. Elle ne l'avait jamais remarqué jusqu'à présent mais il faudrait qu'elle s'en rappelle à l'avenir pour optimiser son emploi du temps et celui de ses clients.

D'ailleurs, à ce propos : comment ses collègues s'étaient-ils débrouillés sans elle ? En tout cas, lorsqu'elle avait appelé au bureau un peu plus tôt pour mettre sa secrétaire au courant de la situation, cette dernière n'avait pas paru catastrophée. Elle lui avait simplement assuré qu'elle passerait le message aux autres. On n'était jamais aussi indispensable qu'on le croyait. Enfin, ça n'était pas la peine d'en faire un drame… Evidemment, il fallait bien qu'un jour ou l'autre, ses collaborateurs prennent un peu plus de responsabilités. Mais le plus tard serait le mieux en ce qui la concernait.

Cassie avait travaillé tellement dur pour monter sa société que tout le monde, y compris elle, s'étonnait qu'elle puisse en plus avoir une vie sentimentale. Elle avait beaucoup de chance : Sebastien était si compréhensif !

Jamais elle n'oublierait sa demande en mariage, lors d'un dîner au restaurant. C'était comme s'il avait lu dans ses pensées. Comme d'habitude, il n'avait rien laissé au hasard, se montrant d'une efficacité sans faille. Du bouquet de roses rouges jusqu'aux violonistes, tout était réuni pour créer un décor romantique. Cependant, tout en sachant rester tendre, il était allé droit au but, évitant de verser dans le genre « guimauve » qu'il méprisait tant. Il lui avait démontré à quel point elle était faite pour lui et inversement. Dans ces conditions, comment aurait-elle pu lui dire non ?

Soudain, la voix de Matt la fit sursauter. Elle ouvrit brusquement les yeux, luttant pour rester impassible. Il avait décidé de la snober en la laissant seule tout l'après-midi ? Eh bien, elle allait lui montrer que cela la laissait indifférente !

Il s'était accroupi devant elle et Cassie remarqua qu'il avait les cheveux en bataille, comme s'il n'avait cessé de s'y passer la main. Ou peut-être que quelqu'un d'autre s'en était chargé pour lui, songea-t-elle, soudain déprimée.

— Ça va ? s'enquit Matt d'une voix douce, l'air vaguement inquiet.

—Oui, très bien. Je ressens seulement encore un peu les effets de la nuit dernière, répondit Cassie en se redressant.

Mais bien sûr, c'était ça la réponse ! Cela expliquait ses réactions insensées et pourquoi elle se sentait aussi perturbée en présence de cet homme.

— Votre livre est intéressant ?

— Quel livre ? fit-elle en baissant les yeux sur l'ouvrage ouvert sur ses genoux. Ah oui, euh… très, ajouta-t-elle en espérant qu'il n'allait pas lui poser de questions sur son contenu car elle aurait été bien incapable de répondre ! Vous avez eu beaucoup de travail ? demanda-t-elle pour détourner la conversation.

— Un homme bien a toujours du travail, répondit Matt en se relevant et en plongeant les mains dans ses poches. Ecoutez, je me disais que si vous n'aviez pas d'autre projet, vous accepteriez peut-être de dîner avec moi ce soir.

L'esprit de Cassie se rebella à cette perspective. Ne devait-il pas dîner avec sa beauté brune ? Avait-il réussi à la rattraper tout à l'heure et à la mettre dans son lit ou bien l'avait-elle repoussé ? Peu importait. Si Cassie voulait qu'il s'excuse, elle n'avait pas le choix, elle devait se montrer conciliante.

— Oui, je pense que je peux m'arranger, lui répondit-elle, en feuilletant un agenda imaginaire. Je devrais pouvoir vous caser entre la lecture de ce livre passionnant et mon retour à la nage en Australie.

Matt sourit, provoquant chez Cassie un frisson des plus agréables.

— De plus, je crois qu'un repas me ferait le plus grand bien, déclara-t-elle en se rendant compte tout à coup qu'elle avait une faim de loup.

— Dans ce cas, vous devrez attendre encore quelques heures avant de vous jeter à l'eau pour respecter le délai d'usage. A moins que vous n'ayez envie de vous noyer ? lui répondit son compagnon les yeux pétillants.

Quand il la regardait comme ça, Cassie avait du mal à se concentrer.

— Non, je n'ai pas prévu d'aller nager en fin de compte, dit-elle en consultant de nouveau son agenda imaginaire. Vous serez coincé avec moi pour quelques heures encore.

— Je pense que je pourrai le supporter, dit Matt en lui tendant la main.

Cassie fixa ses grandes mains et les imagina en train de caresser son corps. Comment pouvait-elle ne pas se rappeler leurs étreintes alors qu'elle avait passé toute une nuit avec lui ? Elle ramassa ses sacs et en confia un à Matt pour couper court à ses pensées troublantes.

— Je dois d'abord me changer, annonça-t-elle en se levant. Vous étiez si pressé de retourner au travail tout à l'heure que vous avez oublié de vous occuper de ma cabine, lui fit-elle remarquer d'un ton de reproche en regardant ostensiblement la pendule accrochée au mur.

— C'est vrai…, répondit Matt, l'air gêné. Venez, vous vous changerez dans la mienne.

— Merci, mais je préférerais avoir ma propre cabine, répondit Cassie en secouant vigoureusement la tête.

Pour rien au monde, elle ne remettrait les pieds dans la cabine de cet homme !

— Je comprends, dit-il en commençant à s'éloigner.

48

Cassie resta interdite un moment, puis ramassa le reste de ses sacs, résistant à l'envie de courir derrière lui. Jusqu'à présent, elle n'avait rien réussi à obtenir de Matt, mais cette fois, elle ne le lâcherait pas tant qu'il ne lui aurait pas donné satisfaction ! Elle se pressa de le rejoindre et insista :

— Je tiens à aller dans ma cabine.

— Ecoutez, la mienne est à deux pas et nous sommes déjà en retard pour le dîner… Je vous promets de me comporter en parfait gentleman, ajouta-t-il pour faire bonne mesure.

— De toute façon, je suppose que ça ne peut pas être pire qu'hier soir, déclara-t-elle après avoir longtemps hésité.

Cassie s'en voulait. A tous les coups, il allait s'imaginer qu'elle avait peur de rester seule avec lui. Et cela, elle voulait l'éviter à tout prix !

— Je vous promets que mes mains sauront rester à leur place, dit-il en lui lançant un regard parfaitement innocent.

Cassie accepta donc de le suivre. La perspective d'obtenir les réponses à toutes ses questions l'emportait sur son envie de s'enfuir à toutes jambes.

— Vous ne m'avez toujours pas dit qui était cette femme, tout à l'heure.

— Vous êtes sûre ? répondit-il sans ralentir le pas.

— Sûre et certaine.

Etait-ce si difficile pour lui de répondre ? Il redoutait certainement qu'elle ne ruine sa relation avec la belle inconnue. Tiens, ça n'était pas une mauvaise idée… Est-ce que cette dernière se doutait que Cassie ne s'était pas contentée de faire les boutiques avec Matt ?

— Vous ne voulez pas me le dire ?

— Oui, parce que ça ne vous regarde pas.

— Compris, fit Cassie en pressant le pas.

S'il ne voulait pas lui fournir la corde pour le pendre, elle en trouverait une elle-même.

Lorsque, enfin, Matt lui ouvrit la porte de sa cabine, le premier réflexe de Cassie en entrant fut de regarder en direction du lit. Dieu merci, il avait été refait ! Matt y déposa ses paquets et se dirigea vers la penderie, visiblement peu troublé par l'exiguïté de la cabine ni par le souvenir de ce qui s'y était passé la nuit précédente.

Il ouvrit les portes de l'armoire et en sortit un smoking noir. Apparemment, il ne plaisantait pas quand il disait que les dîners étaient « habillés ».

Il serait certainement superbe en tenue de soirée. Mais le plus excitant, pensa Cassie, devait être de le déshabiller par la suite.

— Il y a un problème ? s'enquit Matt, la tirant brusquement de ses pensées.

— Non, non. Je me demandais simplement si la robe que j'ai choisie était appropriée pour le dîner, déclara-t-elle en désignant ses paquets, rouge comme une pivoine.

Avait-elle vraiment fait le bon choix en préférant la compagnie de Matt à la vaisselle sale ? Soudain, faire la plonge lui semblait beaucoup moins dangereux que rester avec lui dans cet espace confiné.

— Faites-moi confiance. Elle est parfaite, affirma-t-il en souriant. Ça vous dérange si je prends ma douche en premier ?

— Pas du tout, répondit-elle en s'étranglant à moitié. Comme ça, j'aurai le temps de ranger mes affaires.

Pas question de déballer les sous-vêtements qu'elle s'était achetés sous le nez de Matt ! pensa-t-elle en le regardant entrer dans la salle de bains et refermer la porte derrière lui.

Elle s'adossa au mur. Bon sang, elle était dans de beaux draps ! Elle prit les affaires dont elle avait besoin, les posa sur le bord du lit puis rassembla ses sacs et s'approcha de la penderie, indécise. Elle se faisait l'effet d'une maniaque du rangement mais elle ne supportait pas l'idée de laisser ses vêtements dans des sacs au fond d'une armoire. Qu'allait-elle en faire ?

Soudain, elle entendit le bruit de la douche. Imaginer que Matt, totalement nu, se trouvait à quelques mètres d'elle seulement, la troubla. Cassie déglutit et se força à penser à Sebastien. Surtout, ne pas oublier qu'elle allait bientôt se marier…

Mais elle n'eut pas le temps d'aller plus loin dans ses réflexions. Matt venait de se matérialiser devant elle, portant pour tout vêtement une serviette autour de la taille, qui dévoilait un torse bronzé et musclé, recouvert d'une légère toison brune. Seigneur, il avait un corps superbe ! pensa Cassie, soudain prise d'une envie folle de le caresser fiévreusement. A cette idée, son pouls s'accéléra.

Des gouttelettes d'eau tombaient des cheveux humides de Matt, se frayant un passage le long de son cou et de son torse et frôlant son ventre musclé avant de se perdre sous la serviette.

Cassie avait soudain du mal à respirer. Comparé à Matt, Sebastien faisait figure de gringalet.

— A votre tour, dit-il, en se dirigeant vers la commode.

— Merci. Euh… où puis-je mettre ça ? demanda-t-elle faiblement en désignant ses sacs.

En le voyant s'approcher, Cassie retint son souffle, l'esprit soudain envahi de visions de leurs deux corps enlacés.

Comment avait-elle pu oublier un corps pareil alors qu'elle avait dû caresser ce torse puissant, embrasser cette peau brûlante… ?

— Il y a de la place ici, dit-il en ouvrant un tiroir de la commode.

Son parfum était véritablement enivrant, pensa Cassie en prenant garde à ne pas frôler Matt tandis qu'elle déposait ses paquets tels quels dans le tiroir. Pas question qu'il s'imagine qu'elle s'installait ! Elle ne tenait pas du tout à rester dans sa cabine plus de temps que nécessaire.

— N'allez pas vous imaginer des choses, le prévint-elle. J'aime que tout soit bien rangé, c'est tout.

Il se tenait si près d'elle que lorsque Cassie se releva, ses yeux tombèrent pile à hauteur de ses lèvres. Elles semblaient si douces, si sensuelles… Coupant court aux débordements de son imagination, Cassie se détourna vivement et courut presque jusqu'à la salle de bains.

— Je vais… prendre ma douche, lança-t-elle platement.

— Je vous en prie.

Décidément, cette façon nonchalante qu'il avait de lui répondre commençait vraiment à lui mettre les nerfs en pelote ! Pourquoi se montrait-il si peu troublé ? Est-ce qu'il ne ressentait plus le moindre désir pour elle ? Et d'abord, était-il normal qu'elle-même soit aussi affectée par sa présence ?

Cassie ferma la porte de la salle de bains et respira profondément. Vraiment, elle n'avait pas eu une bonne idée de suivre Matt jusqu'ici. Elle était fiancée, que diable ! Comment pouvait-elle laisser son imagination divaguer à ce point ?

Elle ôta ses vêtements en un temps record puis entra dans la cabine de douche. L'eau chaude lui fit instantanément du bien et lui remit les idées en place.

Elle éteignit le jet d'eau avec regret et se sécha avant de se glisser dans sa robe de soirée en satin. Pas de sac à main, ni de maquillage pour l'accompagner ; ce soir, elle était au naturel.

Et elle s'en fichait royalement. Enfin, c'était le cas tout à l'heure lorsqu'elle était passée devant le rayon cosmétiques de la boutique du paquebot. A quoi bon se faire belle, puisque Sebastien n'était pas là et qu'elle ne connaissait personne ? Elle n'allait certainement pas faire d'efforts pour Matt !

Elle tenta néanmoins de se coiffer tant bien que mal à la main, mais sans grand succès.

— Vous n'auriez pas un peigne à me prêter, par hasard ? demanda-t-elle à travers la porte.

— Si, bien sûr, répondit Matt d'une voix étouffée.

Quelle idiote ! Elle aurait tout de même pu s'acheter une brosse à cheveux. Elle le ferait dès demain, sans faute.

En lui tendant le peigne, Matt sembla s'attarder pour la contempler.

— Vous avez fait vite, remarqua-t-il avec amusement. D'habitude, les femmes mettent des heures à se préparer.

— Seulement lorsqu'elles doivent se maquiller et se coiffer, lança-t-elle sèchement.

Le smoking de Matt lui allait encore mieux que ce qu'elle avait pu imaginer. Il était taillé à la perfection et produisait un effet absolument dévastateur.

Le cœur battant à tout rompre, Cassie se détourna et se mit en devoir de peigner vigoureusement ses cheveux dans l'espoir de penser à autre chose. Elle ne voulait pas s'appesantir plus que de raison sur le corps somptueux de son compagnon. Elle se coiffa du mieux qu'elle put puis lui rendit son peigne en le remerciant, soudain gênée d'avoir utilisé un objet aussi intime. Matt venait probablement de s'en servir quelques minutes plus tôt, pensa-t-elle en regardant furtivement ses cheveux rejetés en arrière.

— J'aime quand vous vous coiffez comme ça, dit-il en saisissant l'objet.

— Je ne vous ai rien demandé, répondit-elle en lui lançant un regard assassin.

Il n'arriverait à rien avec elle, ça non, plus jamais !

Cassie enfila ses escarpins et se félicita d'avoir porté du noir la nuit dernière : ses chaussures allaient parfaitement avec sa nouvelle robe. Heureusement, car les tennis qu'elle s'était achetés cet après-midi n'auraient pas été du plus bel effet ! Soudain, elle s'énerva. Qu'est-ce qui lui prenait, nom d'un chien ? Son avenir avec Sebastien était en jeu, et elle, elle se tracassait pour des histoires de chaussures !

— Prête ?

— On ne peut plus prête, répondit-elle, en tirant sur sa robe, la trouvant subitement trop décolletée.

— Vous avez faim ? s'enquit Matt en resserrant son nœud papillon.

Cassie lui lança un regard méfiant auquel il répondit d'un air surpris.

— Je parlais au sens propre bien sûr. N'y voyez aucun sous-entendu.

— Dans ce cas, la réponse est oui.

Il fallait qu'elle se calme, elle commençait à devenir paranoïaque ! Pour changer de sujet, elle demanda :

— Et pour ma cabine… ?

— Comme l'a dit l'officier tout à l'heure, il n'y en a plus une seule de libre. Je suis désolé.

— Et que suis-je sensée faire ?

— Il y a un canapé dans ma cabine, répondit-il en désignant le sofa en question. Il a l'air assez confortable.

— Vous voulez dire que je suis coincée ici ?

Non mais qu'est-ce qu'il croyait ? Elle n'était pas née de la dernière pluie !

— Ça n'a pas l'air de vous déranger outre mesure ! remarqua-t-elle.

— Il s'agit d'un arrangement en tout bien tout honneur, se défendit-il. Je vous assure.

— C'est ça, répondit-elle d'un ton sarcastique, en jouant nerveusement avec l'encolure de sa robe.

Qu'est-ce qui était pire : dormir sur le canapé ou faire la plonge et être traitée en criminelle ? Cassie n'aurait su le dire.

— Je vous préviens, ajouta-t-elle. Je suis fiancée. Vous n'avez aucune chance avec moi. D'ailleurs, je ne boirai rien ce soir.

— Ça me va très bien, répondit-il d'un air indéchiffrable, tout en lui ouvrant la porte.

54

Cassie n'avait qu'une envie : lui faire ravaler son air d'indifférence. Qu'il ne nourrisse aucune arrière-pensée envers elle la rassurait. Mais d'un autre côté, elle ne supportait pas qu'il puisse l'ignorer aussi ostensiblement. Elle était pourtant une femme désirable, non ? A moins qu'une seule nuit avec elle ait suffi à le satisfaire ?

Cassie serra les poings. Elle aurait certainement du mal à lui faire admettre que la veille, il s'était comporté de manière égoïste. Mais elle était prête à relever le défi, quelle que soit la mauvaise volonté qu'il lui opposerait.

6.

Le Royal avait un tout autre aspect le soir venu : chaque table était recouverte de nappes superposées aux couleurs chatoyantes et ornée d'un bouquet d'œillets.

Ce soir, Cassie était résolue à garder ses distances avec Matt. Et surtout, pas question de boire la moindre goutte d'alcool ! Elle ne tenait pas à succomber de nouveau à son charme. Soit, elle était coincée sur ce paquebot pendant encore trois jours, mais elle n'était pas obligée de reproduire la même erreur que la veille.

Matt et elle traversèrent la salle du restaurant et, à la grande surprise de Cassie, s'arrêtèrent devant une table occupée par une femme et deux hommes. L'un était solidement charpenté, du genre costaud, tandis que l'autre, beaucoup plus fluet, portait des lunettes qui tenaient en équilibre précaire sur le bout de son nez. Et la femme... n'était autre que la beauté brune de cet après-midi !

Cassie serra les poings. Apparemment, Matt n'avait pas l'intention de choisir entre l'inconnue et elle ; il les voulait toutes les deux !

La belle brune leva la tête en les voyant arriver.

— Ah, te voilà enfin. J'ai cru que tu t'étais perdu dans les coursives... ou ailleurs, ajouta-t-elle en faisant un clin d'œil aux deux hommes assis à côté d'elle.

L'insinuation fit rougir Cassie, qui s'écarta un peu plus de Matt. Elle s'était peut-être « égarée » avec Matt hier soir, mais aujourd'hui, c'était une toute autre histoire ! Elle n'avait nulle envie qu'on la traite comme une vulgaire conquête.

Matt se pencha et embrassa la jeune femme brune sur la joue. Cassie se troubla. Quel genre de relation entretenaient-ils, tous les deux ? L'inconnue s'était montrée extrêmement jalouse cet après-midi lorsqu'elle l'avait vue en compagnie de Matt. A quoi était dû ce changement d'attitude ?

Matt s'éclaircit la voix.

— Carl, Rob, Trent, je vous présente Cassie Win.

Trois paires d'yeux se posèrent aussitôt sur Cassie. Si seulement elle avait pu se cacher dans un trou de souris ! Elle n'aimait pas être mise ainsi sur la sellette. Elle reporta son attention sur la beauté brune dans sa magnifique robe bustier rouge qui mettait en valeur ses formes avantageuses. Ce détail ne semblait pas avoir échappé aux trois hommes présents autour de la table, nota Cassie, agacée.

— Très heureuse de vous rencontrer, dit-elle néanmoins avec le sourire. Je m'excuse de m'imposer ainsi.

— Pas du tout, répondit la femme en lui faisant signe de prendre un siège. Asseyez-vous et détendez-vous. On ne mord pas, malgré tout ce qu'a pu vous raconter Matt.

Cassie aurait aimé pouvoir dire que Matt ne l'avait informée de rien du tout, mais elle se retint. Elle ne tenait pas à ce que tout le monde sache le peu d'importance qu'il lui accordait. Ça lui convenait parfaitement au demeurant, mais elle préférait ne pas l'avouer devant cette femme.

— Je suis désolée, je ne crois pas avoir entendu votre nom, dit Cassie.

— Rob, répondit sa voisine en rejetant ses cheveux en arrière. En réalité, c'est le diminutif de Robyn, mais personne ne m'appelle jamais ainsi et, finalement, ça m'est égal…

Cassie sourit à cette remarque, cherchant sur le visage de Matt un indice lui permettant de comprendre la nature de sa relation avec Rob. Mais son visage demeurait indéchiffrable tandis qu'il lui avançait un siège, un sourire mystérieux aux lèvres.

Etait-il en train de préparer quelque chose ?

Elle s'assit avec méfiance, attentive à ses moindres faits et gestes. S'il essayait de la convaincre qu'il était en fait un gentleman, il s'en sortait plutôt pas mal… si l'on exceptait l'incident de la nuit dernière et la débâcle de ce matin.

Bah, le souvenir de la nuit dernière finirait bien par lui revenir. Même les victimes d'horribles traumatismes finissaient par recouvrer la mémoire. Et elle avait dans l'idée que ce qu'elle avait vécu la nuit dernière était tout sauf horrible ! A cette pensée, elle baissa la tête, mettant un soin tout particulier à disposer sa serviette sur ses genoux. Elle n'arrivait pas à croire que cette histoire puisse l'atteindre à ce point. A vingt-quatre ans, elle avait largement passé l'âge de rougir et de se comporter comme une adolescente écervelée !

— Ne faites pas attention à moi. Je vous assure que nous sommes des gens tout à fait normaux, ajouta Rob d'une voix amicale, en lui souriant. Allez, parlez-moi de vous. Je veux tout savoir, dit-elle d'un ton brûlant de curiosité.

Cassie examina le visage de la jeune femme. Elle ne semblait nourrir aucune arrière-pensée. En tout cas, rien dans son comportement ou dans ses yeux sombres parsemés de pépites dorées ne le laissait supposer.

— Il n'y a pas grand-chose à dire. Ma vie n'est pas très intéressante, répondit Cassie en haussant les épaules. Et vous ? Que faites-vous tous sur ce bateau ?

Matt servit un verre de soda à Cassie et remplit les autres de Merlot. Sa façon de la dévisager était déconcertante. Elle avait beaucoup de mal à s'arracher à l'emprise de son regard. Quel était son problème, à la fin ?

— Nous sommes ici pour le travail, répondit Rob en buvant une gorgée de vin. Mais ça n'est vraiment pas intéressant. En revanche, j'aimerais bien savoir où vous et Matt vous êtes rencontrés. Vous aviez entendu parler de la croisière et vous vous êtes débrouillée pour dénicher un billet avec votre amoureux ou… ?

— C'est un véritable interrogatoire, fit remarquer Matt d'un ton égal mais où l'on percevait une légère froideur.

— Allez, dit Rob, tu ne peux pas nous laisser dans l'ignorance complète. Je veux savoir qui est cette femme.

Cassie avait vu juste : il y avait bien quelque chose entre Rob et Matt ! Elle rencontra le regard de ce dernier et l'avertissement glacial qu'elle lut dans ses yeux lui fit l'effet d'un coup de poing. La réaction de Matt était très claire : elle n'avait pas intérêt de parler de leur « rencontre ».

Alors comme ça, il voulait qu'elle se taise ? Eh bien, elle n'allait pas se laisser faire ! Si elle avait envie de répondre, elle n'hésiterait pas. Qu'il aille se faire voir !

— Non, je n'avais pas prévu de faire une croisière.

— Tu lui as fait une surprise ? s'exclama Rob à l'adresse de Matt. Comme c'est romantique !

Ça, pour l'avoir surprise, Matt l'avait surprise, pas de doute ! Mais pas dans le sens où tout le monde devait l'imaginer. Cassie lança un regard perçant à ce dernier. Bon sang, elle aurait donné cher pour savoir exactement ce qui s'était passé entre eux la nuit dernière !

— Vous avez déjà commandé ? demanda Matt, en détournant le regard.

Les deux hommes firent non de la tête, tandis que Rob ignorait la question et se tournait de nouveau vers Cassie.

Elle avait l'impression que Rob essayait de lire dans ses pensées et cela la mettait très mal à l'aise. En tout cas, le doute n'était plus permis : cette femme portait un intérêt très particulier à Matt.

Celui-ci fit un signe au serveur, qui leur apporta la carte.

Cassie compulsa le menu sans conviction, plus intéressée par la relation liant Matt et Rob que par les plats proposés. Pourquoi diable Matt vivrait-il une aventure d'un soir avec elle alors qu'il sortait avec une femme comme Rob ?

Elle commanda une salade de pommes de terre, suivie d'un merlan grillé. Contre toute attente, elle s'exprima d'une voix calme et claire, alors qu'elle se sentait terriblement nerveuse. Puis Rob revint à la charge, incapable de réfréner sa curiosité :

— Que faites-vous dans la vie ? demanda-t-elle en rendant son menu au serveur.

— Je dirige un cabinet-conseil en gestion du temps, répondit Cassie en touchant instinctivement sa montre.

— On pourrait avoir besoin de vos services, pas vrai Matt ? déclara Carl en saisissant son verre, révélant à la vue de tous son tatouage impressionnant.

— Peut-être un jour, répondit Matt sans quitter Cassie des yeux.

Elle tourna la tête, mal à l'aise. Quand il la regardait ainsi, elle était incapable de réfléchir.

— Vous avez des frères et sœurs ? demanda Rob avec un sourire d'encouragement.

— Oui. J'ai deux frères plus âgés. Et vous ? s'enquit-elle, consciente que Matt n'appréciait pas du tout qu'elle fasse ami-ami avec ses collaborateurs.

— Je suis également la seule fille de la famille. A l'origine, on était trois, mais l'un de mes frères est décédé, répondit-elle en cherchant le regard de Matt.

— Oh, je suis désolée, déclara Cassie, troublée.

Elle regarda Matt, mais celui-ci se détourna. Pourtant, l'espace de quelques secondes, elle avait eu le temps de lire dans ses yeux un chagrin immense. De plus en plus perturbée, elle fixa son verre. Pour une raison qu'elle ne s'expliquait pas, elle ne tenait plus à parler aux amis de Matt. C'était incroyable, mais elle ne supportait pas l'idée de lui faire de la peine.

— Ça fait longtemps maintenant, dit Rob. En fait, c'est mon autre frère qui en a le plus souffert. Ils étaient très proches.

— Je comprends, déclara Cassie en remarquant le regard que Rob et Matt échangèrent.

Si seulement elle avait pu lire dans les pensées ! Ces deux-là l'intriguaient au plus haut point. Ils semblaient unis par un lien indestructible. A cette idée, Cassie sentit sa gorge se serrer. Finalement, elle avait changé d'avis. Elle préférait ne pas savoir ce qui se passait entre eux !

— Comment s'est passé le travail aujourd'hui ? demanda Matt pour changer de sujet.

— Tu le sais parfaitement, on n'a pas besoin de te le dire. Et puis, de toute façon, tu nous as expressément demandé de ne pas en parler ce soir, répondit Rob.

— Vous avez un animal ? demanda Trent d'une voix enrouée.

Le pauvre était rouge comme une pivoine. Ça devait beaucoup lui coûter de participer à la conversation, songea Cassie.

— Oui. Une chatte, Frisou. C'est une vraie peluche.

Soudain, Matt repoussa sa chaise et se leva brutalement.

— Je vais prendre un peu l'air. Je ne serai pas long, ajouta-t-il en quittant précipitamment la table.

— Qu'est-ce que j'ai dit ? demanda Rob, surprise.

— Rien. Je crois plutôt que c'est ma faute, répondit Cassie, mal à l'aise.

Elle ne pouvait s'empêcher de se sentir responsable. Si elle n'avait pas trop bu la nuit dernière…

Il devait en avoir assez qu'elle s'incruste ainsi dans sa vie, monopolise son temps et ses amis et ruine ses projets avec cette femme fatale.

Mais Cassie se ressaisit. Elle devenait folle ou quoi ? C'était lui le fautif, dans cette histoire. Elle n'avait absolument rien à se reprocher. Tant mieux si elle le dérangeait !

— Allez viens, Trent. Allons voir ce qui se passe au bar, proposa Carl en se levant à son tour.

— On a réussi à les effrayer, s'esclaffa Rob en les regardant s'éloigner. Alors, de quoi s'agit-il ? Une petite querelle d'amoureux ? demanda-t-elle.

— Non, ça n'a rien à voir, répondit Cassie vivement. Ecoutez, je n'ai pas l'intention de marcher sur les plates-bandes de qui que ce soit. Il n'y a rien entre Matt et moi, je vous rassure.

— C'est ça, dit Rob avec un sourire ironique.

— Je vous le jure. Je n'éprouve absolument rien pour lui. Vous n'avez aucune inquiétude à avoir.

Sauf peut-être sur le fait que Matt était un menteur invétéré qui n'hésitait pas à la tromper quand elle avait le dos tourné. Mais Cassie ne vendrait pas la mèche.

Rob sembla étonnée puis partit d'un grand éclat de rire.

— Mais... vous êtes au courant que je suis sa sœur, n'est-ce pas ?

— Sa sœur ? répéta Cassie, hébétée.

Pourtant, ça semblait évident, maintenant qu'elle y pensait. Rob et Matt avaient les mêmes yeux, la même peau hâlée... Comment avait-elle pu être aussi aveugle ? Elle n'en revenait pas !

— Eh oui. Mais enfin, qu'est-ce qui lui a pris de ne rien vous dire ? Maintenant, je comprends mieux votre attitude. Vous étiez tout simplement jalouse.

— Moi, jalouse ? Non ! se défendit Cassie en secouant la tête.

Elle se fichait pas mal de savoir si Matt avait quelqu'un dans sa vie. Rob se faisait des idées, c'est tout.

— Suivez-moi, dit cette dernière en se levant et en la prenant par le bras.

— Où ça ?

Cassie n'avait envie d'aller nulle part. Elle était bien ici, toute seule. Et puisque Rob n'était pas la maîtresse de Matt, pourquoi irait-elle chercher les ennuis ?

Mais Rob l'entraîna sur le pont extérieur. Cassie vit alors Matt accoudé au bastingage. Il semblait plongé dans ses pensées.

— Ah non, pas question ! murmura-t-elle en esquissant un mouvement de recul. Je n'ai rien à lui dire.

— Allons, il ne faut jamais laisser le soleil se coucher sur une dispute. Je crois que vous avez des choses à vous dire, tous les deux.

Sur ces derniers mots, Rob la poussa en direction de Matt. Qu'allait-elle bien pouvoir lui dire ? Elle réfléchit quelques secondes puis se lança :

— Vous songez à sauter ?

— Non, dit-il sans se retourner. Je pensais à vous.

— Ah, fit-elle en se rapprochant et en s'agrippant au bastingage. Vous m'imaginiez en train de sauter par-dessus bord, alors ? Tout serait beaucoup plus simple si je disparaissais brutalement…

— Non, répondit-il en la regardant d'un air triste. Je me disais que j'ai été très dur envers vous. Et je tiens à m'excuser. Je ne peux pas vous expliquer, mais sachez que je n'ai jamais eu l'intention de vous faire de la peine…

— Allons, vous n'allez pas faire le sentimental maintenant, plaisanta Cassie, agréablement surprise. Vous risqueriez de détruire la mauvaise opinion que j'ai de vous.

Il fallait qu'elle continue à le détester, sinon elle risquait de se laisser attendrir et de faire une bêtise. Et elle ne voulait pas gâcher son avenir. Sebastien et elle se marieraient bientôt, auraient deux enfants, s'installeraient dans la banlieue cossue de Sydney et vivraient heureux jusqu'à la fin de leur vie, point !

Cassie regarda les mains de Matt, posées juste à côté des siennes. Si proches et pourtant si lointaines… Puis elle se ressaisit. Il n'y avait pas de place pour un homme comme Matt dans ses projets !

Cassie était si proche que Matt pouvait presque sentir la chaleur de son corps. Il essayait de donner le change en contemplant tranquillement les reflets de l'océan sous la douce lueur de la lune. Mais cette atmosphère romantique ne faisait qu'ajouter à son malaise. Tout ce qu'il désirait, c'était lui avouer la vérité.

Evidemment, cette satanée Rob n'avait pas pu s'empêcher de poser des questions. Il n'était déjà pas facile pour lui d'avoir l'esprit tranquille après ce qu'il avait fait à Cassie. Mais maintenant, qu'il la connaissait un peu mieux, il avait conscience qu'elle ne méritait pas ce qui lui arrivait. Tout ce qu'on lui avait dit à son sujet était totalement faux. Il ne savait plus quoi faire !

— Vous m'avez dit être fiancée, commença-t-il prudemment.

— Oui. Sebastien est un homme très bien.

— Et vous êtes vraiment sûre de vouloir passer toute votre vie à ses côtés ?

— Bien sûr, mais je suppose que vous ne pouvez pas comprendre, répondit-elle d'un ton dédaigneux. Sebastien et moi sommes faits l'un pour l'autre.

Ignorant la remarque acerbe, Matt insista :

— Vous en êtes certaine ?

— Oui.

Il se tourna alors vers elle et contempla son visage. Le ballet de la lune et des nuages dessinait des ombres sur sa peau laiteuse.

— Vous allez lui dire ce qui s'est passé entre nous la nuit dernière ?

— Oui, répondit-elle. Il m'aime, il comprendra. Cette nuit ne signifiait absolument rien pour moi, ajouta-t-elle après une hésitation.

Matt serra les dents. Il ne supportait pas l'idée qu'un homme comme Sebastien la blesse et l'humilie ! Il devait avouer à Cassie la vérité sur son fiancé. Car s'il ne la mettait pas en garde, Sebastien lui briserait le cœur.

D'une façon ou d'une autre, il ferait regretter à Sebastien de lui avoir fait du chantage pour l'obliger à raconter tous ces mensonges à Cassie. Et il s'assurerait que ses misérables plans tombent à l'eau !

7.

— Rob est votre sœur, lança Cassie d'un ton accusateur.

— C'est exact, répondit Matt, affichant une expression indéchiffrable.

Il haussa les épaules. Il aurait dû se douter qu'il ne faudrait pas longtemps à deux femmes pour tout savoir l'une de l'autre. A présent, quoi qu'il fasse, il devrait impérativement éviter de laisser Cassie et sa sœur seules ensemble. Cassie ne serait pas particulièrement ravie de savoir quel lien les unissaient, Rob et lui, à son fiancé.

— Et vous avez perdu votre frère, ajouta-t-elle doucement.

— Oui, mon petit frère, dit-il avec émotion. C'était un accident.

— Que s'est-il passé ? demanda Cassie en posant une main sur son bras.

— Il s'est noyé, d'accord ? répondit-il si brutalement que Cassie laissa retomber sa main. Ecoutez, je suis désolé. Je ne voulais pas…, dit Matt en la regardant. Mais pourriez-vous arrêter de poser toutes ces questions ? Je ne veux pas que vous en sachiez trop à mon sujet.

— Pourquoi ? Nous ne sommes pourtant plus des étrangers depuis la nuit dernière !

66

— La nuit dernière était une erreur, lança-t-il en détournant le regard.

— Je suis d'accord. C'est même la plus grosse erreur de ma vie. Et je suis bien contente de ne pas m'en souvenir.

Ils marchèrent en silence pendant un moment puis Cassie se rapprocha du bastingage et contempla l'océan.

— Pourriez-vous demander à votre sœur si elle accepterait de partager sa cabine avec moi ?

— Sa cabine ? répéta Matt, pensif. Je suppose, oui. Mais je ne sais pas s'il est bien sage de vous laisser seules toutes les deux. Vous pourriez parler.

— Trop tard. C'est déjà fait.

A ces mots, Matt sentit le doute l'envahir. Que pouvaient bien se raconter deux femmes en l'espace de dix minutes ? En tout cas, une chose était sûre : Cassie ne connaissait pas la vérité. Sinon, elle ne serait pas en train de discuter tranquillement avec lui.

— Je lui demanderai.

— Bien, dit-elle, le regard perdu dans le ciel étoilé.

Les rayons de la lune éclairaient doucement les traits de Cassie, soulignant ses traits fins, ses lèvres pleines. Matt se sentait subjugué.

Soudain, Cassie se retourna, le prenant au dépourvu.

— Eh bien, qu'est-ce que vous attendez ? demanda-t-elle sèchement.

— D'accord, j'y vais, répondit-il d'un air gêné, espérant qu'elle ne l'avait pas surpris en train de la regarder.

Il reprit la direction du restaurant et, une fois à la porte, jeta un regard circulaire dans la salle. Un serveur était en train de déposer des plats à la table où Rob, Carl et Trent étaient encore assis. Sa sœur le vit et lui fit signe d'approcher.

Il lança un regard à Cassie qui continuait à marcher lentement de long en large sur le pont. Il était tenté de la laisser dehors, afin de l'éloigner de Rob, et par la même occasion, de lui-même. Pourquoi, mais pourquoi l'avait-il invité à dîner avec son équipe ? Probablement pour atténuer le sentiment de culpabilité qu'il éprouvait envers elle. Malheureusement, il n'avait fait que compliquer un peu plus la situation.

Enfin, tout rentrerait dans l'ordre très bientôt, Dieu merci ! Quelques heures plus tôt, il avait chargé un officier de faire le nécessaire pour conduire Cassie à l'aéroport dès leur arrivée à Dunedin. Il était dans l'intérêt de tout le monde — aussi bien le sien, que celui de sa sœur ou même de Cassie — de l'éloigner le plus rapidement possible. Il avait même demandé à l'officier de lui trouver un billet d'avion pour l'Australie. Il n'allait pas risquer de rester en sa présence plus longtemps que nécessaire !

— Le dîner est servi, finit-il cependant par lancer à Cassie.

Puis il rejoignit Rob et s'accroupit à ses côtés.

— Tu pourrais arrêter de poser toutes ces questions à Cassie, s'il te plaît ? Ça la met mal à l'aise, ajouta-t-il d'un ton neutre, conscient que sa sœur ne serait pas facile à duper.

— Bien sûr, répondit-elle en lui tapotant la main. Pas de problème. Vous avez réussi à arranger les choses ?

— J'y travaille.

Matt avait de la chance. Apparemment, Rob était trop occupée à essayer de les rabibocher pour remarquer quoi que ce soit.

Enfin, Cassie pénétra dans le restaurant, gracieuse et sensuelle dans sa petite robe noire. Matt la trouvait particulièrement attirante ce soir.

Et apparemment, il n'était pas le seul homme de cet avis, nota-t-il à sa grande contrariété.

Enfin, il respira un grand coup, se creusant la tête pour trouver la question qui ferait réagir sa sœur de façon appropriée. Il attendit que Cassie arrive à leur table pour murmurer à Rob.

— On échange nos plats ?

Il savait pertinemment qu'elle ne lui donnerait son plateau de fruits de mer pour rien au monde.

— Non, répondit vivement cette dernière, en lui faisant comprendre d'un regard que ce n'était pas la peine d'insister. Tu rêves !

Matt était ravi. Maintenant, Cassie devait croire que Rob avait refusé de partager sa cabine. Et il y avait peu de chance qu'elle s'adresse à quelqu'un d'autre. Il allait pouvoir la surveiller... et la protéger.

Il se releva en haussant les épaules, d'un air dépité. « J'ai essayé », articula-t-il silencieusement par-dessus la tête de sa sœur.

Tous les espoirs de Cassie s'envolèrent alors. Comment allait-elle survivre à une cohabitation forcée avec Matt ?

Elle essaya de ne pas le regarder, en vain. Elle se sentait si déboussolée... Sachant ce qui s'était passé entre eux la nuit dernière, ne tentait-elle pas le diable en restant en sa compagnie ? Allait-il encore essayer de la séduire ? Son pouls s'accéléra à cette seule pensée.

Cassie respira profondément et but une gorgée de soda pour tenter de se ressaisir. Allons, elle était adulte, parfaitement capable de se contrôler. Il n'y aurait donc aucun problème avec Matt.

Au centre de la table, le serveur avait disposé plusieurs assortiments de salades et Cassie prit une cuillère de chaque.

Tandis que Matt faisait un mouvement pour atteindre un plat, Cassie sentit les effluves de son eau de toilette. Elle se troubla mais refusa de le regarder. Rien en lui ne l'attirait, absolument rien ! La curieuse sensation qu'elle ressentait était simplement due au stress, et à rien d'autre !

Elle se concentra sur son assiette. Les salades étaient toutes plus délicieuses et originales les unes que les autres.

Mais la présence de Matt à ses côtés, son bras qui ne cessait de la frôler à chaque mouvement, l'empêchait d'apprécier pleinement ce dîner. Il était près, trop près.

Le repas se déroula dans une ambiance extrêmement silencieuse. Personnellement, cela ne lui déplaisait pas de ne plus avoir à répondre à toute une série de questions. Elle avait déjà assez de mal à manger : elle était tellement tendue !

Elle regarda les autres convives pendant que le serveur apportait les desserts, espérant que quelqu'un rompe enfin le silence. Il lui semblait tout à coup beaucoup trop pesant.

Elle contempla sa mousse au chocolat avec gourmandise, avant d'en goûter une énorme cuillère. Le chocolat fondit délicieusement dans sa bouche mais Cassie ne se sentit pas mieux pour autant.

Elle dégusta lentement son dessert, tout en observant Matt qui savourait son sorbet à la mangue. Tout à coup, il sembla s'apercevoir qu'elle le regardait et la fixa à son tour.

Cassie détourna rapidement le regard, se concentrant sur les couples qui se dirigeaient vers la piste de danse. Elle les regarda avec envie. Voilà ce qu'elle désirait. Elle voulait du réconfort, quelqu'un qui la serre dans ses bras. Hélas… Sebastien se trouvait à des milliers de kilomètres de là.

Abattue, elle reporta toute son attention sur son dessert et se mit en devoir de le finir.

Soudain, Rob se pencha :

— Est-ce que vous…

— Dansez ? coupa Matt sans laisser à sa sœur le temps de formuler sa question. Voulez-vous dansez ? reprit-il en se levant et en lui tendant la main.

Cassie lui lança un regard méfiant.

— Vous ne savez pas danser ? demanda-t-il doucement.

— Pas très bien, non. Je n'ai jamais appris. Ça ne me semblait pas important.

A vrai dire, aux yeux de ses parents, peu de choses étaient qualifiées d'importantes, à part les études et le travail. Alors Cassie avait dû tout apprendre sur le tas : le partage, les amis, les relations amoureuses. Et cela n'avait pas toujours été facile.

Ses parents ne s'intéressaient qu'à leur carrière et à l'éducation de leurs enfants. Cassie et ses frères avaient donc dû assister à de nombreux cours particuliers après l'école. Ils n'avaient jamais reçu que des cadeaux pratiques : calculatrices, ordinateurs, dictionnaires et ouvrages de références…

— Faites-moi confiance, dit Matt en prenant doucement sa main.

Cassie se leva, le cœur battant la chamade. Elle sentait la chaleur de sa main dans la sienne et avait le plus grand mal à mettre un pied devant l'autre.

Mais Matt l'entraîna prestement vers la piste de danse. Ressentait-il lui aussi cette incroyable attirance ? Il la prit dans ses bras, la serrant contre son corps solide et rassurant, glissa un bras autour de sa taille et posa sa main brûlante au creux de ses reins.

A ce contact, elle eut le souffle coupé. Leurs corps s'épousaient parfaitement. Si son esprit ne gardait aucun souvenir de leurs étreintes de la nuit dernière, son corps se sentait en parfaite harmonie avec celui de Matt. Le contact de sa main sur sa peau nue l'électrisait.

— Bougez lentement, suivez mes mouvements et laissez-vous aller, murmura Matt à son oreille d'une voix chaude et profonde.

Pour ça, Cassie sentait le moindre de ses mouvements ! Leurs corps semblaient soudés l'un à l'autre. Matt n'avait pas l'air non plus insensible à ce contact très intime et Cassie en ressentit un frisson de plaisir.

Elle s'humecta les lèvres. Etaient-ils obligés d'être aussi proches ? Chaque fois que Sebastien l'emmenait à une soirée, il la laissait seule à table. Il savait qu'elle ne dansait pas très bien et préférait inviter une inconnue à la place.

La musique était romantique ; Cassie avait l'impression que Matt et elle étaient seuls au monde.

La fragrance épicée de son après-rasage et son souffle chaud sur sa joue affolaient tous ses sens, provoquant dans tout son corps une sensation très troublante. Comment pouvait-elle espérer réfléchir clairement alors qu'il la serrait de cette façon ?

— Avez-vous déjà pensé à votre avenir ? demanda Matt d'une voix douce. Comment envisagez-vous votre vie ?

— Ça fait longtemps que j'ai cessé de rêver au prince charmant, si c'est ce à quoi vous faites allusion. Quant aux châteaux en Espagne... je leur préfère nettement une propriété au bord de la mer.

— C'est l'argent qui vous motive ?

— Non, répondit Cassie, blessée par cette question.

— C'est tout ? Vous n'avez aucun autre projet ?

— Non.

Pour qui la prenait-il ? Une sombre aventurière ?

Elle ne voulait plus lui adresser la parole. Ça ne ferait que compliquer les choses. De toute façon, elle ne le reverrait sans doute jamais une fois qu'elle serait descendue de ce satané bateau.

— Je sais bien qu'on ne doit pas rechercher que la sécurité financière dans le mariage, finit-elle par dire en soupirant. Il faut aussi avoir des intérêts, des amis et des buts en commun. Et c'est pour cela que Sebastien est l'homme qu'il me faut.

— Et que faites-vous de l'amour ?

A cette question, Cassie se troubla et marcha sur le pied de Matt.

— Oh, pardon ! dit-elle. Ce n'est pas votre sœur là-bas ? demanda-t-elle soudain pour changer de sujet de conversation. Elle danse d'une façon plutôt « collé-serré » !

Matt tourna la tête. Rob dansait effectivement de façon très rapprochée avec un beau ténébreux.

— Ça alors ! s'exclama Matt, surpris.

— C'est une grande fille, vous savez, commenta Cassie en remarquant son regard belliqueux.

— Je n'ai pas envie que ce type se serve d'elle pour assouvir ses désirs, répondit Matt après un moment d'hésitation.

— Alors là, je n'ai jamais rien entendu d'aussi hypocrite !

Il était loin de s'être comporté en parfait gentleman la veille au soir...

— Vous ne vous arrêtez donc jamais ? demanda Matt en croisant les bras sur sa poitrine, l'air revêche.

— Non, répondit-elle en le regardant droit dans les yeux. Je suis du genre têtu.

— J'avais remarqué.

Il esquissa un pas en direction de sa sœur.

— Vous m'avez posé des questions très personnelles, lui dit-elle en le retenant par le menton. Vous connaissez mon métier, vous savez que je suis fiancée, et que j'aime assez l'idée d'être en sécurité financièrement.

Le contact de la peau de Matt lui brûlait presque les doigts. Lorsqu'elle rencontra son regard chargé de désir, elle laissa retomber sa main.

— En gros, vous savez à peu près tout de moi, ajouta-t-elle.

Et s'il n'appréciait pas, ça n'était pas son problème.

Cassie essaya de ne pas regarder en direction de Rob pour ne pas attirer l'attention de Matt sur cette dernière. Elle ne voulait pas qu'il gâche la soirée de sa sœur par sa faute.

Matt l'agrippa soudain par les épaules et l'attira vivement à lui.

— Vous ne pouvez pas faire ça, dit-il en faisant un visible effort pour se contenir.

— Faire quoi ? parvint-elle à demander.

— Me regarder de cette façon, et puis vous défiler…

Cassie le repoussa avant de lui prendre la main sans dire un mot. Elle voulait simplement danser avec lui. Rien d'autre.

— La vie est dure, vous savez, commenta Matt en emprisonnant la main de Cassie dans la sienne.

Puis il l'attira tout contre lui et se remit à danser.

— Vous croyez que je ne le sais pas ? demanda-t-elle, de nouveau troublée par le contact de son corps.

Elle recula légèrement.

— Je ne plaisante pas, dit Matt en la serrant un peu moins fort. Les gens peuvent se montrer égoïstes et cruels.

— Ecoutez, je vous pardonne, d'accord ?

Les mots n'étaient pas sortis de sa bouche que Cassie regretta de les avoir prononcés. Elle ne se sentait pas encore prête à lui pardonner.

— J'ai quelque chose à me faire pardonner ? s'exclama-t-il en emprisonnant son regard.

Cassie hésita. Pourquoi avait-il l'air surpris ?

— Parfaitement. J'imagine que vous avez dû vous laisser déborder sur le moment.

— Oui, bon, dit-il en toussotant et en consultant sa montre. Je crois qu'il est temps d'aller au lit. Une longue journée m'attend demain. Evidemment, quand je parlais d'aller au lit, c'était au sens propre, ajouta-t-il en remarquant son air pincé.

— Oui, bien entendu.

— Allons-y, dit-il en faisant glisser sa main le long de son dos avant de la lâcher complètement.

Cassie l'observa pensivement. Elle était confiante… tant qu'il jouait cartes sur table.

8.

Cassie serra les poings pour calmer sa nervosité grandissante tandis qu'elle suivait Matt jusqu'à sa cabine. Plus ils en approchaient, plus les battements de son cœur s'accéléraient.

Son compagnon n'avait pratiquement pas prononcé un mot depuis leur départ du restaurant, ce qui n'était pas pour la rassurer. Heureusement, cette fois-ci, ils se trouveraient dans la même cabine, mais pas dans le même lit !

Une fois arrivé, Matt alluma la lumière et pénétra dans la pièce sans l'ombre d'une hésitation. Il traversa ensuite le salon, jeta sa veste sur le lit et commença à défaire son nœud papillon.

Cassie referma la porte à clé. L'habitude… Elle regarda Matt pour voir s'il avait remarqué son geste mais il était trop occupé à se déshabiller. En règle générale, elle fermait sa porte à clé pour se protéger. Mais ce soir, elle ne pouvait s'empêcher de penser que le plus grand danger se trouvait avec elle, dans cette chambre.

Pourtant, elle réussit à lui faire face.

Matt commença à déboutonner sa chemise. Comme hypnotisée par son geste, Cassie était incapable de détourner son regard. Enfin, la chemise révéla un torse bronzé et musclé. Pour avoir un corps pareil, Matt devait forcément l'entretenir. Un homme qui passait sa journée derrière un ordinateur ne pouvait pas être aussi sculptural !

Sebastien jouait au tennis et elle ne pouvait nier qu'il ne soutenait pas du tout la comparaison avec Matt. Ils faisaient la même taille, mais c'était à peu près la seule chose qu'ils avaient en commun. Sebastien était mince, presque trop, et blond, tandis que Matt... ne valait pas la peine qu'elle perde son temps à penser à lui !

Assurément, Matt ne devait pas manquer de succès auprès des femmes. Il avait un visage agréable, un peu trop beau pour être honnête, et son corps n'était pas mal, à condition d'aimer les hommes bronzés et musclés.

Cassie ôta rageusement ses escarpins, tout en regardant le lit avec méfiance. Qu'est-ce que Matt avait véritablement en tête lorsqu'il parlait d'un arrangement en tout bien tout honneur ? Avait-il décidé de ne pas la toucher *bien* qu'elle dorme dans le même lit ou *parce* qu'elle se trouverait dans une pièce séparée ?

Soudain, elle eut la vision de leurs deux corps enlacés dans le même lit. Elle l'embrassait, le caressait...

— Cass.

— Pardon ? demanda-t-elle en sortant brutalement de ses pensées.

Elle devint écarlate. Si Matt devinait ce qu'elle avait à l'esprit quelques secondes plus tôt, elle mourrait de honte ! Pour donner le change, elle s'absorba dans la contemplation de la disposition de la pièce.

— Vous prenez le lit, et moi le canapé, finit-elle par dire.

— C'est bien sous cet angle-là que j'avais envisagé les choses, répondit Matt en dégageant sa chemise de son pantalon.

Si elle avait espéré qu'il opposerait la moindre objection, elle s'était amèrement trompée. Elle savait qu'il n'avait pas l'étoffe d'un gentleman, mais là franchement...

— Bien, dit-elle en essayant de se calmer.

Elle se dirigea sans conviction vers le salon. D'accord, c'était elle la passagère clandestine, la « hors-la-loi », mais ça ne devait pas empêcher Matt de se montrer courtois. Elle aussi était une victime. Et son invitée, forcée certes, mais son invitée quand même. Elle jeta un coup d'œil au petit canapé en skaï jaune et grimaça. Puis elle fit brusquement demi-tour.

— J'aurais besoin d'un…, commença-t-elle.

Mais sa voix se perdit au fond de sa gorge. Matt se tenait là devant elle, torse nu. Elle ne pouvait détacher les yeux de ses épaules bronzées, de ses bras musclés et de ses pectoraux. Il releva la tête sans crier gare et lui lança un oreiller et le dessus-de-lit.

— C'est tout ce qu'il vous faut ?

— Oui, bonne nuit, répondit-elle en retournant vers le canapé.

Depuis quand savait-il de quoi elle avait besoin ? Et d'abord, comment osait-il enlever sa chemise alors qu'elle se trouvait à quelques mètres à peine ? Il savait ce qu'elle ressentait au sujet de la nuit précédente. La dernière chose qu'il lui fallait, c'était qu'il exhibe son corps sculptural devant elle !

Il était incorrigible !

Elle jeta l'oreiller et le dessus-de-lit sur le canapé. Celui-ci lui paraissait étonnamment petit. Autant dire que Matt aurait eu du mal à y trouver le sommeil… s'il avait été galant !

Cassie se plaça dans un coin de la pièce d'où Matt ne pouvait pas la voir et fit descendre la fermeture Eclair de sa robe. Puis elle s'emmitoufla dans le dessus-de-lit. Elle n'avait aucune envie d'aller récupérer la chemise de nuit qu'elle avait laissée dans le tiroir de la commode, près du lit. Le seul problème, c'est qu'en se réveillant le lendemain, Matt risquait de la trouver étendue à moitié nue sur le canapé. A cette pensée, elle hésita, repensant à sa gêne de ce matin.

Finalement, elle se retourna et se dirigea vers Matt d'un pas décidé. Il était étendu sur le lit, les mains derrière la tête et ne portait en tout et pour tout qu'un boxer, qui dévoilait des jambes aussi musclées et sexy que le reste de son corps.

— Qu'est-ce qui se passe encore ?

— J'ai besoin de ma chemise de nuit, si ça ne vous dérange pas.

Tandis qu'elle se penchait sur la commode, Cassie le vit la détailler sans la moindre gêne. Il devait certainement se faire des illusions sur la raison véritable de sa présence à côté de lui. Mais il avait tout faux. Aucune chance qu'elle retombe de nouveau dans son lit !

— Allez-y, dit-il en fermant les yeux. Mais faites vite, j'ai besoin de dormir. Je travaille, moi, demain.

— Figurez-vous que je travaillerais aussi si une certaine personne ne m'avait pas soûlée et fait l'amour toute la nuit, répondit-elle, hors d'elle.

— Toute la nuit ? s'exclama-t-il en rouvrant les yeux et en se tournant vers elle.

— Euh, nous n'avons pas… ? Enfin, c'est-à-dire que je croyais…

Cassie sentit la température monter de quelques degrés dans la pièce. Il fallait qu'elle s'éloigne de cet homme le plus vite possible ! Elle ouvrit précipitamment le tiroir, et fourragea à l'intérieur en resserrant un peu plus étroitement le dessus-de-lit autour d'elle.

Matt sourit, se retourna sur le dos, et reprit la position désinvolte dans laquelle elle l'avait trouvé en arrivant.

— Si, si, bien sûr, répondit-il d'un ton pensif.

Puis il la regarda de nouveau et ajouta :

— Vous devez probablement être du genre à faire l'amour toute la nuit.

En disant cela, ses yeux sombres brillaient d'une promesse qui la mit dans tous ses états.

— Peut-être que la prochaine fois, vous ne boirez pas autant, lança-t-elle d'un ton accusateur. Ainsi, vous serez en mesure de vous en souvenir.

— La prochaine fois ? s'étonna Matt d'une voix profonde et chaude.

— Je voulais dire, la prochaine fois que vous ferez ça avec une autre femme, répondit Cassie en sortant précipitamment sa chemise de nuit du tiroir.

Il fallait vraiment qu'elle fasse attention à sa façon de s'exprimer !

— Si vous le dites.

Cassie se retourna et aurait couru jusqu'au salon si elle n'avait pas eu peur de se rendre ridicule. De toute façon, dans son dessus-de-lit, elle ne pouvait guère aller très vite. Enfin, elle rejoignit le coin où elle s'était déshabillée et enfila sa chemise de nuit. Cet homme avait vraiment le don de la déboussoler !

Elle se laissa tomber dans le canapé et se pelotonna contre les coussins. Elle essaya de penser à Sebastien pour oublier les battements frénétiques de son cœur, mais elle ne pouvait ôter Matt de son esprit. Dire qu'il ne se trouvait qu'à quelques mètres d'elle !

Etendu sur son lit, Matt écoutait Cassie bouger dans la pénombre. Il ne parvenait pas à dormir, par contre il aurait pu décrire les moulures du plafond dans ses moindres détails !

Il se sentait torturé par la culpabilité. Il aurait dû céder son lit à Cassie. En fait, après tout ce qu'il avait fait, il aurait dû se montrer beaucoup plus accommodant. Mais elle était tellement irritante qu'il avait voulu lui donner une leçon.

Il se retourna dans son lit en s'enroulant dans sa couverture, incapable de trouver une position confortable. Cassie avait dormi dans ce lit la nuit dernière. Il pouvait encore sentir son parfum sur l'oreiller.

N'y tenant plus, il finit par se lever puis traversa la chambre, accablé par le poids du mensonge. Il devait absolument se racheter auprès de Cassie. D'une façon ou d'une autre, il fallait qu'il la convainque de quitter Sebastien avant que ce dernier ne réussisse à lui faire du mal.

Il s'adossa négligemment contre la cloison, contemplant la jeune femme endormie. Le clair de lune brillait à travers la fenêtre, projetant des ombres sur son visage. Elle était magnifique.

Tout en elle l'attirait. La façon dont elle s'était pelotonnée sur le canapé, la courbe de sa poitrine, la peau laiteuse de son bras qui pendait par-dessus son lit de fortune. Dans son sommeil, elle affichait une telle sérénité qu'elle semblait le narguer ! En revanche, si elle croyait que cette chemise de nuit transparente cachait sa nudité, elle se trompait !

Mais qu'était-il en train de faire ? Il fallait à tout prix qu'il se ressaisisse !

Il traversa donc la pièce, ouvrit la porte-fenêtre et se faufila sur le balcon.

L'air froid l'enveloppa, rafraîchissant son corps. Il respira profondément.

— Qu'est-ce que vous faites ?

Matt sursauta. Aucun doute, cette voix douce était bien celle de Cassie. Il se retourna.

Elle se tenait dans l'encadrement de la porte-fenêtre, le léger tissu de sa chemise de nuit soulevé par la brise. Ses yeux étaient tout ensommeillés.

Le pouls de Matt s'accéléra. Il brûlait d'envie de l'embrasser pour la réveiller tout à fait. Mais il résista.

— Vous ne dormez pas ? dit-il.

81

— Vous voyez bien que non. Sinon, je ne serais pas là en train de vous parler, répondit-elle en serrant les bras sur sa poitrine pour se réchauffer.

— Vous auriez pu être somnambule…

— Qu'est-ce que vous fabriquez dehors ? Il fait un froid de canard.

— Je n'arrive pas à dormir, se contenta-t-il de répondre en se retournant pour prendre appui contre la balustrade.

Peut-être allait-elle retourner dans le salon. Il attendit, à l'écoute. Il ne tiendrait pas longtemps ainsi. Il gelait carrément sur pied !

— Je n'avais pas remarqué que vous aviez un balcon, murmura Cass, comme si elle se parlait à elle-même.

Matt regarda autour de lui. Deux chaises entouraient une petite table ronde pour les petits déjeuners en amoureux. Deux transats complétaient le tableau.

— Ça doit être génial pour se dorer au soleil en toute intimité, ajouta-t-elle.

Cassie parlait d'une voix douce et anodine, comme s'ils étaient en train de discuter à la table d'un café, et non seuls et à moitié nus au beau milieu de la nuit. Et pour couronner le tout, elle parlait de se déshabiller pour se faire bronzer sur *son* balcon !

L'envie de la prendre dans ses bras était insoutenable. Il voulait poser ses lèvres sur les siennes, se lover contre son corps… Bon sang, elle le torturait ! Qu'avait-il fait pour mériter ça ?

— Vous ne venez pas vous coucher ? demanda-t-elle soudain.

— C'est une invitation ?

A ces mots, Cass prit un air indigné, tourna les talons et referma la porte vitrée derrière elle.

Matt se mit à rire. Il était si facile de la faire sortir de ses gonds ! Et pour une raison qu'il n'aurait su expliquer, il ne

82

pouvait s'empêcher de la provoquer. Il adorait la voir réagir au quart de tour.

Soudain, la serrure émit un bruit sec dans la nuit.

Matt regarda Cassie. Celle-ci souriait et lui fit un signe de la main à travers la vitre épaisse.

Il avança vers la porte-fenêtre. Elle n'aurait pas osé ? Non, elle ne pouvait pas avoir fait ça ! Il tenta d'analyser la situation calmement. Les balcons étaient conçus pour préserver l'intimité de chacun. Ils ne communiquaient donc pas entre eux et étaient beaucoup trop éloignés les uns des autres pour tenter quoi que ce soit.

— Vous n'avez pas fait ça ? cria-t-il à travers la vitre.

Pour toute réponse, Cassie hocha la tête.

Matt respira à fond et essaya d'ouvrir la porte. Elle était fermée à clé ! Et il distinguait clairement l'amusement dans les yeux de Cassie, même si elle essayait de garder son sérieux. Bon sang ! Elle n'avait pas réellement l'intention de le laisser dehors ?

— Ouvrez cette porte, ordonna-t-il.

Elle secoua négativement la tête. La satisfaction était inscrite sur son visage. Non seulement cette peste avait le lit pour elle toute seule, mais elle tenait là une belle vengeance !

Il sautilla d'un pied sur l'autre, le froid du balcon pénétrant dans chaque fibre de son corps.

— Vous ne pouvez pas me laisser dehors.

Elle fit signe que si, un grand sourire aux lèvres. Puis elle haussa les épaules et se dirigea nonchalamment vers le lit.

Elle roulait lascivement des hanches, ce qui ne laissa pas Matt indifférent. Son sang se mit à bouillir à la simple pensée qu'elle allait s'allonger à l'endroit même où il se trouvait quelques minutes auparavant.

— Je veux bien prendre le canapé, plaida-t-il d'une voix forte.

Elle pénétra dans la chambre, et s'étendit ostensiblement sur le lit.

— Il gèle, cria-t-il en l'observant à travers la vitre. Vous ne pouvez pas faire ça. S'il vous plaît. Vous voulez ma mort ?

Elle le regarda, le visage de nouveau sérieux. Elle semblait hésiter tout à coup.

Il se frotta les bras et se mit à grogner pour faire bonne mesure, la fixant avec des yeux de chien battu.

Elle secoua alors la tête en revenant vers la porte et l'ouvrit.

— C'est bon, je ne veux pas que vous tombiez malade à cause de moi. En plus, je suis sûre que je serais obligée de m'occuper de vous. Les hommes sont de vrais bébés.

— Ah oui ? dit-il en grinçant des dents.

Il était partagé entre l'envie d'effacer son sourire d'un baiser et celle de la retourner sur ses genoux pour lui flanquer une bonne fessée. A cette pensée, son désir se réveilla instantanément. Cass avait dû s'en apercevoir car elle recula.

Finalement, il réussit à se contenir et se dirigea vers la chambre.

— Où allez-vous comme ça ? s'exclama-t-elle, indignée, en le voyant se glisser sous les couvertures pour se réchauffer.

— Il est hors de question que je dorme sur le canapé. Mais je veux bien me montrer charitable puisque vous avez eu pitié de moi. Si vous voulez, vous pouvez me rejoindre.

Il l'entendit marmonner quelques jurons bien sentis et sourit. Il avait hâte de connaître sa décision.

9.

Cassie s'emmitoufla un peu plus étroitement dans le couvre-lit. Elle aurait dû laisser Matt sur le balcon cette nuit. Comme ça, elle aurait pu dormir dans un vrai lit et se serait réveillée sans ce fichu torticolis ! Elle tourna la tête d'un côté puis de l'autre. Ce canapé était un véritable instrument de torture !

Il était 6 h 35. Enfin, il fallait voir le bon côté des choses : il ne lui restait plus qu'une nuit à endurer ce calvaire. Et pour l'instant, tout se passait bien. Le cauchemar était presque terminé. Elle trouverait un moyen d'éviter Matt durant la journée et, la nuit, elle penserait très fort à Sebastien et à son magnifique mariage.

En entendant Matt s'agiter, elle tira le couvre-lit sur son visage. Elle n'avait aucune envie de lui parler à une heure si matinale, surtout après sa tentative avortée de vengeance de la nuit dernière. Si seulement elle avait réussi son coup !

Elle repoussa ses couvertures. Le problème, c'est qu'elle était trop gentille. A l'avenir, elle se montrerait sans merci. Mais elle n'avait pu s'empêcher d'avoir pitié de Matt en le voyant grelotter dans le froid : peu importe ce qu'il avait fait, elle n'avait pu se résoudre à le laisser toute la nuit sur le balcon.

Et puis elle n'était pas stupide. Elle savait pertinemment qu'elle aurait dû lui rendre des comptes, ce matin. Ce se serait forcément mal passé ! Elle secoua la tête. La vengeance, ça

85

n'était pas son truc. Mais peut-être qu'avec un peu de pratique. Ce soir, qui sait…

Elle entendit Matt hésiter sur le seuil de la porte. Se sentant observée, elle essaya de respirer profondément et régulièrement, feignant le sommeil.

Enfant, elle y arrivait très bien — mais là, c'était différent. Elle avait une envie irrésistible de sourire. Elle se retint à grand-peine, ne se sentant vraiment pas de taille à l'affronter pour le moment.

Il finit par s'éloigner puis elle entendit la porte de la salle de bains et le bruit de la douche. Des images de son corps nu envahirent son esprit.

Soudain, elle se ressaisit et bondit du canapé.

Il fallait qu'elle en profite pour s'habiller. Elle n'avait aucune envie de se retrouver nez à nez avec Matt, à moitié nue.

Elle se dirigea vers la commode à côté du lit défait pour récupérer ses affaires. Elle n'entendait déjà plus la douche. Il fallait qu'elle se dépêche si elle ne voulait pas que Matt la dévisage comme il l'avait fait hier soir sur le balcon. Quand il la regardait comme ça, elle se sentait nerveuse.

Elle enfila ses sous-vêtements à toute allure, se glissa dans un jean et un débardeur blanc en un temps record, mais ne réussit pas à ouvrir la fermeture Eclair de son coupe-vent. Pressée par le temps, elle finit par le passer comme un pull.

Au même moment, la porte de la salle de bains s'ouvrit et Matt entra dans la pièce. Il portait un polo crème et un jean bleu qui mettaient en valeur son corps magnifique. Ses cheveux étaient encore humides et il était rasé de près. Il s'approcha en la regardant intensément.

Cassie se raidit. Elle ne se laisserait pas avoir cette fois-ci ! Elle s'accrocha à l'idée que si elle pensait à Sebastien constamment, elle pourrait garder la tête froide.

— Vous êtes levée, constata-t-il d'une voix douce et profonde.

— Quel sens de l'observation !

— Bonjour à vous aussi, dit-il, surpris par ce soudain accès de mauvaise humeur.

— Ma journée serait meilleure si vous n'en faisiez pas partie.

Elle n'allait certainement pas se montrer gentille ! Sa faiblesse de l'autre nuit ne se renouvellerait plus.

— Vous êtes un peu rude. Vous n'avez pas bien dormi ? demanda-t-il sans cacher son amusement.

Elle ouvrit la bouche pour lui répondre, hésitant sur l'expression la plus appropriée à lui lancer à la figure… lorsqu'on frappa à la porte.

— C'est le petit déjeuner, annonça Matt en allant ouvrir la porte, le regard moqueur.

Cassie serra les dents. Il était si arrogant, si irritant, si beau… c'en était exaspérant !

Un serveur portant un plateau de petit déjeuner complet pénétra dans la chambre et déposa son chargement sur la petite console.

— Hmm, du café…, dit-elle dans un soupir voluptueux.

Exactement ce qu'il lui fallait pour se remettre les idées en place !

— Je vous laisse, fit le serveur tout sourire en se dirigeant vers la porte.

— Merci, lui répondit-elle joyeusement tandis qu'il refermait la porte derrière lui.

Elle remplit sa tasse de café, humant son parfum avec délice. Puis elle ajouta du lait et du sucre. Elle allait avaler sa première gorgée lorsqu'elle remarqua que Matt était toujours appuyé contre le chambranle de la porte. Il arborait un air amusé.

— Quoi ? se rebiffa-t-elle instantanément.

— Rien. Je suis simplement content de vous voir aussi enthousiaste. Même si ça n'est que pour une tasse de café.

— Ce n'est pas une simple tasse de café, c'est le paradis ! dit-elle en buvant une gorgée du liquide brûlant.

Elle ne pouvait s'empêcher de sourire. Son café du matin, c'était sacré ! Elle se sentait réconfortée. Finalement, tout n'allait pas si mal.

Matt se mit à rire.

— Vous m'en servez un ? demanda-t-il en se rapprochant dangereusement.

Le cœur de Cassie battit un peu plus vite. Elle regarda sa tasse. C'était le café qui lui faisait cet effet, pas Matt.

— Je ne crois pas que vous le méritiez.

— Peut-être mais c'est quand même moi qui ai commandé le petit déjeuner, répondit-il en s'asseyant près d'elle.

— Vu sous cet angle, je n'ai pas le choix, déclara-t-elle en s'éloignant le plus possible de lui.

Le canapé avait l'air d'avoir rétréci depuis que Matt s'y était installé, songea-t-elle.

— Du lait et trois sucres, s'il vous plaît.

— Vous aimez la douceur, apparemment.

— Vous croyez ? demanda-t-il d'un ton suggestif. Qu'allez-vous faire aujourd'hui ? reprit-il au lieu de relancer sa provocation comme Cassie le redoutait.

— Aucune idée. Je crois que je vais encore m'ennuyer à mourir.

— Pourtant ce bateau offre une bonne palette d'activités.

— Je vous rappelle que je n'ai pas payé mon billet, donc que je n'y ai pas accès, répliqua-t-elle en sirotant son café.

Pour ça, on ne l'y reprendrait plus à se faire coincer de la sorte ! Une fois rentrée, elle coudrait sa carte de crédit à la poche de son pantalon ! Tout plutôt que se sentir aussi dépendante !

— Vous êtes mon invitée, vous pouvez faire ce que vous souhaitez, déclara Matt.

— Non, c'est hors de question.

— Comme vous voulez, répondit-il, l'air pensif. Eh bien, je suppose que vous pouvez toujours retourner à la bibliothèque. On ne pourra pas vous accuser de vous amuser comme une petite folle, si c'est ce que vous craignez.

Cassie frémit à l'idée de s'asseoir tranquillement pour lire, alors que sa vie s'écroulait autour d'elle. Elle finit sa tasse puis la posa sur la table.

— Je suis sûr que vous trouverez quelque chose à faire pour vous occuper, dit Matt en souriant.

— Je suppose que oui.

En fait, l'idée de rester enfermée toute la journée dans la cabine n'était pas pour lui déplaire. Au moins, elle ne risquait pas de rencontrer qui que ce soit… ou de tomber sur Matt !

— Bon, je dois y aller, dit-il en reposant sa tasse. Tout ce que je vous demande, c'est de ne pas me déranger, d'accord ?

— Ça me convient très bien.

Cassie regarda la porte qu'il venait de refermer derrière lui. C'était typique de Matt de faire une réflexion pareille ! Elle s'affala de nouveau contre le dossier en soupirant. Elle survivrait.

Mais, au fait… elle n'avait pas pensé une seule seconde à Sebastien !

Un peu plus tard dans la matinée, Matt débpula en trombe sur le pont supérieur, scrutant les corps qui se bronzaient au soleil. Cassie était là, quelque part. Et quand il aurait mis la main sur elle… il n'avait absolument aucune idée de ce qu'il ferait !

Elle commençait sérieusement à lui taper sur les nerfs ! Trompant sa vigilance avec ses airs innocents, ses magnifiques yeux verts et ses lèvres soyeuses, elle avait encore réussi à le déstabiliser ce matin. Il s'était attendu à la trouver repentante. Au lieu de ça, elle s'était montrée pleine de tonus et prête à se disputer. Elle était vraiment incroyable !

Enfin, il la repéra, allongée sur une chaise longue à l'extrémité du pont. Elle avait ôté son coupe-vent ainsi que son jean, livrant son corps à moitié nu aux rayons du soleil. Trent n'avait pas menti. Elle lui avait dit qu'elle allait travailler leurs emplois du temps *et* son bronzage.

Matt la détailla, le souffle court, admirant le galbe de ses jambes puis remonta vers le bas de son bikini et enfin vers sa poitrine moulée dans un petit débardeur blanc. Perdue dans sa lecture, Cassie mordillait un stylo.

— Que faites-vous ? lança-t-il d'un ton accusateur.

— Je travaille, répondit Cassie sans se démonter.

— Sur quoi ?

Il ne pouvait pas la laisser fureter ainsi sur le bateau. Elle risquait de découvrir la vérité et il lui serait alors impossible d'essayer de la raisonner.

— Rien qui vous concerne. En tout cas, pas encore, répondit-elle avec un grand sourire innocent.

Avait-elle la moindre idée de l'effet qu'elle produisait ? Matt jeta un coup d'œil autour de lui : tous les hommes l'avaient remarquée.

— Je parie que tous les mâles ici présents vous ont proposé un verre.

— Comment le savez-vous ? Vous m'espionnez ? répondit Cassie, légèrement alarmée.

— Vous savez, quand un homme offre un verre à une femme, ça n'a en général rien d'innocent.

— Et qu'en est-il dans votre cas ? demanda-t-elle en croisant lentement les jambes d'un air affecté.

Matt n'avait nulle envie de répondre.

— Bon, levez-vous maintenant. Allons parler ailleurs.

— D'accord. Inutile de vous énerver.

— Où est votre jean ? demanda-t-il en se plaçant devant elle pour la cacher au regard des autres.

— Sur le dossier de la chaise. Il y a un problème ?

— Ça, vous pouvez le dire ! Rhabillez-vous !

Elle resta interdite pendant quelques secondes. Matt était sûr qu'elle allait faire une scène. D'accord, il se montrait un peu paternaliste, mais bon sang, il ne pouvait pas la laisser se balader comme ça sur le bateau !

Cass se rhabilla, remontant le jean sur ses jambes avec une lenteur calculée, roulant des hanches, capturant le regard de Matt dans un défi évident.

— Bon sang, Cassie ! Vous avez ôté votre jean ici de cette façon ? explosa-t-il.

Non mais, à quoi jouait-elle ?

— Ça n'a posé de problème à personne, répondit-elle en réprimant difficilement un sourire.

— Qu'est-ce que vous faites ? Ça ne vous ressemble pas d'agir de cette façon.

— Vous ne savez rien de moi, Matt ! rétorqua-t-elle, piquée au vif. Vous faites intrusion dans ma vie sans crier gare, semez la confusion, mais vous ne vous souvenez même pas de mon nom !

Matt ouvrit la bouche pour répondre puis se ravisa. Il ne pouvait pas lui dire la vérité. Pas ici, pas comme ça.

— Vous n'avez pas vu Rob ? finit par demander Cassie en regardant par-dessus son épaule.

— Pourquoi ? demanda-t-il, alarmé.

Avait-elle deviné de quoi il retournait ? Cette pensée le fit frémir.

— D'accord, je vais vous le dire, dit-elle d'un ton léger, une main sur la hanche. J'ai déjà pris des notes sur les emplois du temps de Carl et de Trent pendant leur pause déjeuner. Je vais

91

essayer de les aider à mieux gérer leur temps pour rendre leur travail plus efficace.

Matt se sentit soulagé : elle ne savait rien.

— Ecoutez, on ne pourrait pas se mettre à l'ombre pour discuter ?

— Pourquoi ?

— Je ne crois pas que vous devriez rester trop longtemps exposée au soleil.

Ce qu'il ne disait pas, c'est qu'il ne voulait pas qu'elle reste une seconde de plus sous le regard de tous ces hommes !

— Bientôt, vous allez me proposer de m'étaler de la crème sur le dos !

— Plus tard peut-être, répondit-il en réprimant son désir.

Elle le regarda puis considéra la zone ombragée à côté du bar. Tous les sièges étaient occupés. Elle s'arrêta.

— Est-ce que… vous aimeriez entendre mes suggestions ?

Matt était incapable de répondre, perdu dans les profondeurs de ses grands yeux verts… Comme il avait envie d'elle !

Un groupe chargé de sacs et de serviettes passa à côté d'eux, les bousculant au passage. Matt plaqua Cassie contre le mur et se plaça devant elle pour la protéger.

Cassie sentit un petit frisson voluptueux courir sur sa peau. Elle n'était pas certaine d'apprécier cette sensation. Elle avait décidé de travailler pour ne plus penser à Matt Keegan, et voilà qu'il revenait la tourmenter !

— Lâchez-moi, dit-elle en se dégageant.

— Pardon, Cassie.

Il recula. Son regard était si caressant qu'elle en frémit. Son cœur se mit à battre plus vite. Maintenant, elle n'avait aucun mal à comprendre comment elle avait pu succomber lors de cette fameuse nuit !

Cassie essaya de se ressaisir. Elle aurait dû se douter que Matt ne la laisserait pas questionner tranquillement son équipe sans réagir.

Elle s'écarta encore un peu de lui et agita la pile de papiers qu'elle tenait à la main.

— Je ne voulais rien vous dire avant d'avoir terminé, mais si vous insistez... Je pense que vous pourriez réaliser un gain de temps non négligeable en optimisant les horaires de vos employés.

— Ça a l'air intéressant, dit-il d'un air circonspect. Mais en quoi Rob est-elle concernée ?

— Je pensais m'entretenir de certains détails avec elle. Carl m'a dit qu'elle était un peu votre bras droit et...

En fait, parler à Rob avait semblé à Cassie la parfaite occasion de rassembler les informations dont elle avait besoin pour faire son travail sans avoir à côtoyer Matt. Ce qui était, somme toute, son but principal.

C'était par ailleurs une excellente idée. Non seulement ça l'occupait, mais elle pouvait ainsi rendre service à ce dernier pour le dédommager des vêtements qu'il lui avait achetés. Plus tôt elle s'acquitterait de sa dette, mieux elle se sentirait.

— Pourquoi ne vous adressez-vous pas à moi ? Après tout, c'est moi le patron.

Il semblait étonné qu'elle ait préféré s'adresser à Rob plutôt qu'à lui. Mais Cassie n'allait sûrement pas lui avouer qu'elle avait peur de rester seule avec lui !

— Vous m'avez demandé de ne pas vous déranger.

— Eh bien j'ai changé d'avis, répondit-il d'une voix un peu trop douce.

— Mais vous avez l'air très occupé. Je ne voudrais pas vous empêcher de travailler.

— Je ne veux pas que vous interrompiez Rob. Elle effectue des calculs très pointus, il ne faut pas la déranger.

— Je comptais lui parler pendant sa pause, dit-elle d'un air de défi.

Ce qu'il pouvait être paternaliste par moments !

— Pas question. Nous en discuterons ensemble. Retrouvez-moi sur le pont supérieur à 13 heures.

— Mais Rob...

— Oubliez-la, d'accord ? Elle est très occupée.

Sur ce, Matt la planta là, lui laissant le loisir d'admirer sa démarche virile. Il avait vraiment un corps splendide !

Un réflexe salutaire lui permit de sortir de sa torpeur béate et de recouvrer ses esprits. Un long moment en tête à tête avec Matt Keegan était précisément ce qu'elle cherchait à éviter !

Il fallait qu'elle trouve une excuse, quelque chose d'imparable. Allons... Elle s'était déjà sortie de situations bien pires avant ! De toute façon, il ne serait certainement pas intéressé par ses suggestions pour améliorer sa gestion du temps.

— Oh, Cass, fit Matt en se retournant, ça a vraiment l'air d'être une très bonne idée. Très bénéfique pour l'entreprise.

Flûte ! Comment allait-elle s'en sortir à présent ?

10.

Cassie ne mit pas longtemps à comprendre que le pont supérieur ne disposait d'aucun restaurant. Matt aurait tout de même pu la prévenir ! Où allaient-ils manger ? En fait, il n'y avait pas grand-chose à part une piste pour les joggeurs et un promontoire d'où les passagers devaient admirer les magnifiques levers et couchers de soleil. L'ambiance sur le pont quasi désert était calme, détendue.

Cassie s'accouda au bastingage. Elle observa l'océan autour d'elle, qui s'étendait à perte de vue. C'était impressionnant. A côté, elle se sentait toute petite… et très loin de sa vie de Sydney.

Elle consulta sa montre pour se rassurer : 12 h 58. Puis elle s'écarta du bastingage et marcha lentement le long du pont. Après tout, elle n'était pas pressée de retrouver Matt…

Plus elle y songeait, plus elle avait le sentiment que derrière sa façade de séducteur, se cachait un homme très différent. Serait-elle assez forte pour lui résister s'il commençait à se montrer agréable ?

Il ne restait que quatre jours avant son mariage. Il fallait absolument qu'elle se raccroche à cette pensée, qu'elle n'oublie pas Sebastien. De plus en plus tendue, elle ferma les yeux pour essayer de se calmer. Tout devait se passer comme prévu samedi, il le fallait.

Elle avait besoin de ce mariage plus que tout. Elle voulait retrouver un semblant de normalité auprès d'un homme rassurant. Elle voulait une vie simple, loin des tromperies de Tom, son ex-petit ami, ou des mensonges de ses parents, qui avaient fait croire pendant des années que tout allait bien pour sauver les apparences.

Cassie marchait lentement, ruminant ses sombres pensées lorsque soudain, elle distingua une silhouette de l'autre côté du pont.

Son cœur bondit dans sa poitrine. C'était Matt. Il était déjà là, tranquillement assis sur une couverture à côté d'un panier de pique-nique, attendant patiemment qu'elle arrive. Il regardait l'horizon d'un air pensif.

Elle marcha dans sa direction, les nerfs à fleur de peau, l'esprit en alerte. Elle n'aurait pu l'expliquer, mais elle sentait que la règle du jeu avait changé ; et cette idée lui fit peur.

La disposition de ce pique-nique faisait penser à un tête-à-tête romantique : sur la couverture, il y avait deux verres à vin, une fleur à côté de son assiette, et les deux couverts étaient très proches.

— Bonjour, Cass, dit Matt d'une voix caressante en se retournant. Ça vous plaît ?

— Non. Vous me faites un peu peur, répondit-elle en essayant de se ressaisir.

— Comment ça ? A cause d'un simple pique-nique ? Mais ce n'est rien : je tiens juste à me faire pardonner. Vraiment. Pour l'autre nuit. Et pour la nuit dernière. Je me suis comporté en véritable goujat.

— Non, s'exclama Cassie en reculant. Ne faites pas ça.

— Enfin, ne vouliez-vous pas que je m'excuse ?

— Si.

Du moins, elle l'avait souhaité…

96

— Dans ce cas, vous n'avez pas vraiment peur, n'est-ce pas ? reprit-il en lui faisant signe de s'asseoir à côté de lui.

Il la mettait au défi d'accepter ce déjeuner en tête à tête. Elle en était consciente, pourtant elle ne pouvait pas refuser, même si elle avait terriblement envie de fuir. Quelque chose lui disait qu'il fallait qu'elle aille jusqu'au bout. Peu importe l'issue.

Elle obtempéra donc et s'assit sur la couverture.

— Pourquoi êtes-vous aussi gentil tout à coup ?

— Il faut vraiment une raison ? s'étonna-t-il.

— Oui. Depuis notre première rencontre, je n'ai toujours pas réussi à vous cerner ni à comprendre notre… situation.

— Et depuis notre rencontre…, rétorqua-t-il en plongeant ses yeux dans les siens, vous m'avez tour à tour surpris, défié, et exaspéré. Que diriez-vous d'une trêve ? conclut-il en lui tendant la main.

Elle le considéra avec méfiance. Ses yeux s'attardèrent sur ses mains viriles : si seulement elle avait pu se souvenir de leur contact ! Elle se secoua. Non, il valait mieux qu'elle ne se rappelle pas cette fameuse nuit avec lui. Ç'aurait pu sonner le glas de sa relation avec Sebastien…

Sebastien.

Elle regarda son annulaire nu. Son solitaire n'était peut-être plus à sa place, mais son engagement tenait toujours. Evidemment, ces derniers temps, elle n'avait guère pensé à son fiancé… mais il fallait avouer que les circonstances n'étaient pas des plus favorables. Et puis, il y avait Matt.

Mais loin d'elle l'idée de les comparer… Il n'y avait d'ailleurs rien à comparer. Sebastien était grand. Matt, encore plus. Sebastien était mince, Matt, musclé. Sebastien était calme et serein en toutes circonstances. Matt, imprévisible. Sebastien représentait la sécurité. Matt était… hors de question !

— Du vin ? demanda ce dernier en commençant à remplir son verre. Alors, parlez-moi de vous… Nous n'avons pas encore eu l'occasion de discuter.

Ça n'était pas une bonne idée. Evidemment, elle brûlait de connaître des tas de choses sur lui. Mais l'ignorance avait un côté rassurant. Et en ce qui la concernait, elle le connaissait déjà beaucoup trop intimement à son goût !

— Je sais déjà que vous avez un chat, qu'il s'appelle Frisou et que vous vivez à Sydney, comme moi.

— Je ne me rappelle pas vous avoir dit que je vivais à Sydney !

Elle était persuadée de ne jamais lui en avoir parlé. Mais le fait de savoir qu'il vivait dans la même ville qu'elle la troublait. Elle se sentit soudain rougir.

— Vous avez dû m'en parler l'autre nuit, répondit-il d'un ton absent en observant de nouveau l'océan.

— Alors, qu'est-ce qu'on mange ? demanda Cassie pour changer de sujet.

Elle regarda le panier, espérant qu'il renoncerait à évoquer cette nuit-là. Elle se sentait trop vulnérable pour en discuter, et sa voix profonde, tout comme son sourire, ne l'aidaient en rien. Il lui était déjà assez difficile de réprimer son désir sans aborder le sujet ouvertement.

— Vous avez deux frères, c'est ça ? s'enquit Matt en ignorant sa dernière question.

— Oui, répondit-elle, soulagée.

Elle croisa les bras. Apparemment, il était sérieux lorsqu'il avait dit qu'il voulait discuter. Elle ne savait plus à quoi s'en tenir.

— Et vous n'avez plus que Rob, murmura-t-elle.

Mais pourquoi avait-elle dit ça ? Elle ne voulait pas qu'il se sente obligé de parler de ces souvenirs pénibles.

Matt fixa son verre de vin puis l'océan d'un regard vide.

A coup sûr, il essayait de trouver un moyen d'éviter le sujet. Il ne voulait pas aborder son passé. Elle était mal à l'aise mais ne le quitta pas des yeux. Peut-être tentait-elle inconsciemment de le provoquer pour qu'il la laisse tranquille…

— Il avait six ans de moins que moi ; c'était encore un enfant, finit-il par dire en se passant une main dans les cheveux. La porte de la maison de nos parents était restée ouverte et il est tombé dans la piscine, continua-t-il péniblement. Quelqu'un l'a trouvé et sorti de l'eau, mais il était déjà trop tard.

— Je suis désolée.

Quelle histoire terrible !

Elle posa sa main sur la sienne, ne sachant que faire d'autre.

— J'imagine que je veux simplement protéger Rob, dit-il d'une voix cassée en détournant les yeux.

Cassie ne bougeait pas. Elle aurait voulu le prendre dans ses bras et lui dire qu'il avait réussi — que sa sœur s'en sortait très bien — mais elle était incapable de prononcer un seul mot. Après tout, elle n'était qu'une étrangère. Elle avait passé une nuit avec lui, elle partageait ce moment d'intimité, mais ça n'allait pas plus loin.

Pourtant, elle était heureuse qu'il lui dévoile enfin le véritable Matt Keegan. Un homme qu'elle appréciait peut-être un peu trop…

— Enfin, dit-il d'une voix rauque en prenant sa main entre les siennes. Je voulais juste que vous connaissiez un peu mon passé.

— Et votre avenir ? demanda-t-elle.

Elle regretta aussitôt sa question.

— Vous n'êtes pas obligée de l'épouser, dit Matt à brûle-pourpoint en lui lançant un regard perçant.

— Pardon ?

— Comment pouvez-vous savoir que c'est l'homme de votre vie ?

Elle but une gorgée de vin, regardant longuement l'océan. Il fallait qu'elle se concentre. Sur Sebastien. Il était sa bouée de sauvetage ; un homme efficace, ordonné… parfait. Et surtout, il ne s'embarrassait pas de sentiments inutiles.

— Si vous le connaissiez, vous sauriez que nous sommes faits l'un pour l'autre. Il est gentil, c'est un véritable gentleman…, répondit-elle, à court d'arguments. Il respecte mon travail et mes ambitions. Nous aimons les mêmes choses, partageons les mêmes vues politiques.

— Ça m'a l'air plutôt ennuyeux. Vous ne croyez pas que vous l'idéalisez un tout petit peu ?

— Pas du tout ! s'exclama-t-elle, indignée. Notre relation n'a rien d'ennuyeux. Et Sebastien non plus. Vous êtes mal placé pour vous permettre de critiquer, de toute façon. Je vous rappelle que vous avez couché avec une femme ivre sans même connaître son nom !

— *Touché*, dit-il en sortant une salade et un plat de viandes froides du panier. Mais à vous entendre parler de Sebastien, on a l'impression que vous avez déniché un meuble ou un animal de compagnie.

— Vous vous trompez. Je l'aime… beaucoup, finit-elle par ajouter en baissant la tête.

— D'accord. Si vous le dites.

La moquerie était à peine voilée dans la voix de Matt. Elle n'était peut-être pas capable de dire « je t'aime » à quelqu'un, mais ça ne signifiait pas qu'elle n'aimait pas cette personne. Depuis le divorce de ses parents, elle n'arrivait tout simplement plus à prononcer ces mots.

— Vous vous croyez intelligent ? lança-t-elle en reposant son verre.

— J'ai un diplôme pour le prouver, répondit-il avec insolence.

— C'est tout ?

— J'ai obtenu une maîtrise, rétorqua-t-il, le visage à seulement quelques centimètres du sien.

— Même pas un doctorat ?

— Non, pas de doctorat. Et vous ?

Elle n'hésita qu'un court instant. Elle allait lui montrer de quel bois elle était faite !

Elle posa sa bouche sur la sienne.

Les lèvres de Matt étaient aussi chaudes et douces qu'elle l'imaginait. Au début, il ne réagit pas, puis ses lèvres commencèrent à répondre aux siennes, provoquant chez Cassie des frissons de plaisir.

Le baiser de Matt était tendre, enivrant. Il explorait sa bouche avec lenteur, lui donnant la chair de poule. Plus rien d'autre ne comptait que ce moment magique. Elle brûlait de caresser son corps, de sentir ses muscles sous ses doigts.

Matt bouillait de passion, pourtant il se montrait d'une incroyable douceur, repoussant tendrement les mèches rebelles de son visage, caressant délicatement la courbe de son visage.

Enfin, il s'écarta, la laissant pantelante.

— Pourquoi avez-vous fait ça ? demanda-t-il, le regard brûlant. Non pas que je n'aie pas apprécié. Je me posais simplement la question.

— Ce n'est pas moi qui ai commencé, c'est vous, répondit-elle dans un sursaut.

Matt secoua la tête, regardant ses lèvres comme s'il songeait à recommencer l'expérience.

— C'était moi ? murmura-t-elle en revenant à la réalité.

Oui, c'était elle ! Et elle n'avait qu'une envie : recommencer. Personne ne l'avait jamais embrassée de façon à la fois si tendre et si sensuelle. Et elle ne savait absolument pas si c'était une bonne chose ou non…

11.

Qu'est-ce qui lui avait pris d'embrasser Matt Keegan ? se demandait Cassie.

Elle piqua quelques feuilles de salade au bout de sa fourchette et les regarda d'un air morose. Qu'allait-elle faire maintenant ? Comment se sortir de ce mauvais pas ? Le silence pesant qui régnait entre eux la rendait nerveuse. Il fallait absolument qu'elle trouve quelque chose à dire pour détendre l'atmosphère.

Enfin, pourquoi avait-elle fait ça ? Elle n'en avait aucune idée ! Mais le plus inquiétant, c'était que ce baiser l'avait complètement transportée. Maintenant, elle avait une idée plus précise de ce qui avait dû se passer entre elle et Matt l'autre nuit et elle était très heureuse de ne pas s'en souvenir.

Il ne fallait pas qu'elle s'emballe. Elle était déboussolée, rien de plus. Ce qu'elle ne comprenait pas, c'est pourquoi Matt la mettait dans un état pareil. Elle croyait pourtant avoir retenu la leçon de ses dernières mésaventures amoureuses !

Elle se remémora l'épisode de la carte de Saint-Valentin. Le nom du garçon lui échappait, en revanche l'humiliation était toujours aussi présente à son esprit. Non seulement il lui avait fait une très mauvaise blague, mais il en avait fait profiter toute la classe ! Il avait été méprisable, tout comme Tom.

Celui-là, elle n'était pas près de l'oublier ! Lorsque ses parents avaient divorcé, sa présence l'avait aidée à traverser cette épreuve.

Tom avait été son premier amour. A dix-neuf ans, elle était la plus heureuse des femmes : elle était amoureuse et le divorce de ses parents n'avait pas assombri son bonheur. Tant que Tom se trouvait à ses côtés, elle pouvait tout surmonter.

Mais un jour, elle était rentrée plus tôt de l'université et l'avait trouvé dans les bras d'une autre femme. Elle avait eu mal, profondément mal. Et était tombée de très haut.

Finalement, après moult tablettes de chocolat, une nouvelle coupe de cheveux, et le serment de ne plus jamais tomber amoureuse, elle avait finalement réussi à l'oublier... mais ça lui avait tout de même pris cinq ans ! Elle secoua la tête : de l'eau avait coulé sous les ponts depuis. Elle avait rencontré Sebastien.

— Je vais me marier samedi, lança-t-elle à brûle-pourpoint. Et rien de ce que vous pouvez dire ne me fera changer d'avis.

— Alors pourquoi m'avez-vous embrassé ? demanda Matt d'un air étonné.

— Ça ne voulait rien dire...

— Ce n'est pas l'impression que j'ai eue, répondit-il en la fixant de ses yeux sombres.

Sous la chaleur de son regard, Cassie eut l'impression que l'espace entre eux s'amenuisait. Elle recula, feignant de vouloir trouver une position plus confortable.

— Eh bien pour moi, c'était le cas.

— C'est pourtant bien vous qui m'avez embrassé, rétorqua-t-il en reposant sa fourchette.

— Ecoutez, Matt, on ne va passer des heures à essayer de savoir qui a embrassé qui en premier ? Ça n'a pas paru vous déplaire, non ?

Elle grinça des dents. Pourquoi lui avait-elle posé cette question ? Elle devait sûrement avoir des tendances masochistes ! Elle retint son souffle. S'il avait ressenti la même chose qu'elle…

— C'était… sympa, finit-il par dire avec désinvolture.

Alors là, c'était le pompon ! Elle ne savait pas à quoi elle s'attendait, mais certainement pas à une telle réponse.

— Sympa… c'est tout ? s'enquit-elle d'une voix suraiguë.

— J'ai du mal à exprimer ce que j'ai ressenti.

— Vraiment ? Allez, faites un effort.

— C'était doux, chaud…, commença-t-il en cherchant ses mots.

— Epoustouflant, sensationnel, grisant ? proposa-t-elle, se sentant bouillir devant tant d'indifférence.

— C'est ça, j'ai trouvé ça bouleversant moi aussi, dit-il avec un sourire dévastateur.

— Je n'ai jamais prétendu que ça m'avait bouleversée !

Parfois, elle ferait mieux de se taire ! Elle enfourna une feuille de salade. Au moins, la bouche pleine, elle ne risquait pas de dire des bêtises.

— Très bien, dit Matt. Changeons de sujet. Si nous parlions de vos idées pour mon entreprise ?

— Mes idées ? Oui, bien sûr, répondit-elle, reconnaissante.

Elle avait de la chance de s'en sortir à si bon compte. Finalement, cet homme possédait quand même quelques qualités !

— Mais il se fait tard, ajouta-t-il en consultant sa montre. Je dois retourner travailler. Nous en parlerons pendant le dîner, dit-il en commençant à ranger le panier.

— Je croyais qu'on devait parler maintenant, fit-elle valoir en se levant.

— Préparez vos notes, nous verrons ça ce soir.

Cassie ne put s'empêcher d'apprécier ses charmes tandis qu'il se penchait pour ramasser le panier. Brusquement, il se retourna sans crier gare.

— D'accord, répondit-elle en baissant la tête pour cacher son trouble.

— Très bien. Je m'occupe de tout, lança-t-il avant de s'éloigner.

Ils allaient sûrement dîner avec son équipe, comme la veille. Elle avait presque hâte de passer un peu de temps avec Rob. Peut-être offrirait-elle une oreille compatissante à ses malheurs ?

— Que comptez-vous organiser au juste ? cria-t-elle dans son dos.

— Un dîner dans notre cabine, répondit-il en se retournant, comme si de rien n'était. Il nous faut un endroit calme pour discuter tranquillement.

Comment ça « *notre* cabine » ? Tout à coup elle sentit tout courage l'abandonner ; elle acquiesça vaguement, incapable de prononcer une phrase cohérente.

Elle ne bougea pas, complètement atterrée. A moins de sauter par-dessus bord, elle serait bien obligée de retourner dans la cabine à un moment ou à un autre.

Mais pas de panique, Matt n'allait sûrement pas se monter la tête pour un simple baiser. C'était une erreur, il le savait. Elle était presque une femme mariée, que diable !

Cassie posa un doigt sur ses lèvres au souvenir encore brûlant de leur baiser. Comment avait-elle pu se laisser emporter aussi facilement ? De plus, on ne pouvait pas dire qu'elle appréciait cet homme.

Elle s'enfonça dans son fauteuil, regardant les couples passer devant le bar, main dans la main. Leurs regards amoureux et les mots tendres qu'ils se murmuraient au creux de l'oreille lui faisaient mal. Elle les enviait tellement !

Malheureusement pour elle, Sebastien était très pudique. Il n'aimait pas lui tenir la main en public, encore moins la serrer tendrement, et préférait les débats politiques aux conversations en tête à tête.

Elle soupira. Pourquoi ne voyait-elle que ses mauvais côtés ? Il était un peu guindé, et alors ? Elle le ferait changer avec le temps. A force, lui aussi lui ferait éprouver les mêmes sensations que Matt. Il suffisait d'un peu de patience. Ils auraient tout le temps une fois mariés.

Elle regarda un jeune couple qui avançait main dans la main, serrés l'un contre l'autre. Ces deux-là n'avaient pas besoin de se parler pour se comprendre. Ils s'assirent et commencèrent à s'embrasser. Seigneur, comme elle avait envie de sentir de nouveau les lèvres de Matt sur les siennes !

Elle soupira. Qui croyait-elle tromper ? Matt avait un effet dévastateur sur ses sens. Elle ne ressentirait jamais cela avec Sebastien. Ni avec personne d'autre.

Allons, ce n'était pas le plus important. Elle savait par expérience qu'il était plus sage d'écouter la voix de la raison, plutôt que celle du cœur. C'est ce qui l'avait aidée lorsque ses parents avaient divorcé et qu'elle avait ensuite découvert la trahison de Tom. C'était aussi ce qui l'avait poussée à accepter la demande en mariage de Sebastien.

Soudain, le couple se mit à rire, tirant Cassie de ses pensées. Ils avaient l'air très complices. Elle s'imaginait très bien ainsi, dans les bras de Matt, partageant avec lui tout ce que la vie avait à offrir.

Brusquement, elle se sentit vide, esseulée. Les yeux brûlants de larmes contenues, elle détourna le regard. Puis, elle eut un sursaut de révolte : elle n'avait aucune idée de ce que Matt pouvait lui offrir. Mais elle n'avait pas envie de regretter toute sa vie de ne pas avoir saisi sa chance avec lui. Qui sait si son attirance pour Matt ne cachait pas un sentiment plus profond ? Dans ce cas, elle devait tenter l'aventure. Elle ne voulait pas passer à côté de l'amour par peur de souffrir.

Elle verrait bien où tout ça la mènerait…

12.

Matt Keegan se dirigeait vers sa cabine d'un pas tendu. Le reste de la journée s'était bien passé, il n'avait aucun problème côté travail. Par contre, il aurait aimé pouvoir en dire autant à propos de Cassie.

Quel baiser !

Elle l'avait pris par surprise. Mais elle n'aurait pu lui faire une surprise plus agréable ou plus troublante. Ses lèvres étaient aussi douces qu'il les imaginait. Mais le plus incroyable, c'est qu'elle avait éprouvé la même chose que lui, et ça l'enivrait.

Il serra les poings. Il ne laisserait personne lui faire du mal. Surtout pas Sebastien. Cet ignoble individu ne reculait devant aucune bassesse pour parvenir à ses fins. Il était même allé jusqu'à lui faire du chantage — le forçant à faire croire à sa fiancée qu'ils avaient couché ensemble pour obliger celle-ci à rompre.

Il frissonna. Aucun doute : Sebastien tenait beaucoup plus à sa carrière qu'à Cassie. Mais comment pouvait-il lui tendre un piège aussi abject alors qu'il la connaissait si bien ?

Matt bouillait littéralement de rage. Sebastien espérait tout simplement que ses électeurs se montreraient compatissants après leur rupture. Pauvre Cass… Elle n'avait aucune idée de ce qu'elle allait devoir affronter à son retour.

Mais il avait aussi dans l'idée qu'une autre femme était derrière toute cette histoire. Et son identité ne faisait aucun doute. Pourquoi Eva aurait-elle tout organisé pour que Cassie se retrouve dans son lit cette fameuse nuit, si ce n'est pour aider son amant ? Comment s'y était-elle prise ? Matt n'en savait rien. Et il préférait ne pas le savoir. Elle l'avait probablement droguée…

Il avait une furieuse envie de donner des coups de poings ! Il ne comprenait pas qu'on puisse vouloir faire souffrir Cassie de cette manière. Elle représentait tout ce qu'un homme pouvait désirer… tout ce qu'*il* désirait.

Matt ralentit l'allure.

Oui, il la désirait. Il n'y avait là rien d'exceptionnel. Après tout, c'était une femme extrêmement séduisante. Mais ça ne signifiait rien.

Il allongea le pas. Le moins qu'on puisse dire, c'est que le stratagème de Sebastien était bien ficelé. Il ne souhaitait qu'une chose : évincer Cassie pour poursuivre sa relation avec cette autre femme sans nuire à sa précieuse image publique. Il comptait sur le fait que Cassie lui raconte ce qui s'était passé entre Matt et elle. Et à en juger par ce que la jeune femme lui avait confié, c'est ce qu'elle s'apprêtait à faire. Elle allait se jeter dans la gueule du loup. Et le pire, c'est que Sebastien en ressortirait grandi alors qu'elle serait rongée de culpabilité !

Matt enrageait. Pourquoi rendait-elle les choses aussi difficiles ? Pourquoi ne profitait-elle pas de l'opportunité qu'il lui offrait pour quitter ce salaud ? Pourquoi ne se laissait-elle pas guider par ses sentiments ? Parce qu'elle ne se doutait de rien, évidemment ! C'était à lui de lui ouvrir les yeux, de lui montrer ce qui se tramait afin qu'elle puisse prendre sa décision en tout état de cause. Et pour qu'elle laisse tomber ce crétin sans mettre Rob en danger.

Car il en était sûr, Cass lui lançait des appels de détresse : à chaque fois qu'elle le regardait, qu'elle le touchait… lorsqu'elle l'avait embrassé. Il hésita. Agissait-elle ainsi parce qu'elle croyait qu'ils avaient déjà fait l'amour ou parce qu'elle ressentait réellement quelque chose pour lui ?

Quoi qu'il en soit, il fallait lui ouvrir les yeux. Il lui devait bien ça. Il s'arrêta un instant devant la porte de la cabine puis, plus résolu que jamais, ouvrit la porte.

Des papiers étaient étalés dans toute la pièce. A croire que Cassie avait utilisé toutes les réserves du bateau ! Seuls deux endroits avaient été épargnés pour leur permettre de s'asseoir. Matt remarqua tout de suite la distance respectable qui les séparait.

Le message était clair. Avait-il eu tort de croire qu'elle l'appelait à l'aide ? Finalement, il aurait peut-être plus de mal que prévu à atteindre son objectif.

Il avança en direction du canapé, s'assit et regarda les papiers tout autour de lui.

— Salut, fit Cassie, légèrement sur ses gardes.

— J'ai commandé à dîner, dit-il en reportant son attention sur les papiers. On pourra se concentrer sur tout ça. Ce sont toutes vos propositions ? demanda-t-il en espérant qu'il pourrait la détourner cinq minutes de son travail pour parler de Sebastien.

— Pas vraiment. Une grande partie concerne d'autres clients. J'ai tout fait de mémoire, avoua-t-elle d'un air penaud. Il fallait que je m'occupe, sinon j'allais devenir folle. Ce qui concerne votre entreprise se trouve ici, précisa-t-elle en désignant un petit tas de paperasse tout près du canapé.

Tandis qu'elle lui parlait, Matt se sentait envoûté par la ligne sensuelle de ses lèvres pleines. Et lorsqu'elle vint s'asseoir sur le tapis en face de lui, il ne put détacher son regard de son corps sublime. Elle avait veillé à garder une bonne distance entre eux, comme pour se protéger.

— Ce n'est pas si compliqué en fin de compte. Je vais vous expliquer…

— Pourriez-vous d'abord m'expliquer une chose ? demanda Matt. Comment sait-on lorsqu'on aime quelqu'un ?

— Je ne sais pas, répondit Cassie, un peu étonnée. J'imagine qu'on se sent bizarre à l'intérieur.

— Et quoi d'autre ?

— L'être aimé vous fait oublier tout le reste. Vous arrivez même à vous demander comment vous pouviez vivre sans lui auparavant ; à quel point votre vie était inintéressante.

La gorge de Matt se serra. Pas de doute, elle aimait Sebastien. En tout cas, ce qu'elle disait le laissait penser. Mais peut-être qu'elle parlait de lui ? pensa-t-il, plein d'espoir. Bah, quel idiot ! Il se faisait des illusions. C'était tout bonnement impossible.

— Et lorsqu'il vous embrasse, lorsqu'il vous touche… ?

— Vous avez envie de ne faire qu'un avec lui, murmura-t-elle.

— Et de l'épouser ?

Cassie acquiesça. Elle parlait donc bien de Sebastien. Cet imbécile avait une femme qui lui vouait un amour inconditionnel et il allait tout gâcher !

— Voici mes notes concernant l'emploi du temps de Trent, dit-elle en saisissant une liasse de papiers devant elle, pour détourner la conversation. Celles-ci sont pour Carl.

Elle le fixa de ses magnifiques yeux verts et le cœur de Matt s'emballa. Il mourait d'envie de la toucher, de l'embrasser.

— Comme vous m'avez dit de ne pas déranger Rob, j'ai pris quelques notes en fonction des renseignements glanés auprès de Trent et de Carl. Il faut juste qu'elle complète certains détails.

Lorsque Cassie fit un pas dans sa direction, Matt, plus troublé que jamais, se leva.

— Et ceci vous concerne, dit-elle en s'approchant encore.

Incapable de se contenir plus longtemps, Matt prit Cassie dans ses bras, et l'embrassa. Peu importe le reste, il avait trop envie d'elle.

Cassie savait que c'était de la folie. Mais c'était tellement bon ! D'ailleurs, pourquoi aurait-il posé cette étrange question s'il ne ressentait pas la même chose qu'elle ?

Elle lâcha la liasse de papiers qu'elle tenait encore à la main et enroula ses bras autour de son cou. Matt gémit contre ses lèvres, la plaquant un peu plus contre lui, l'enveloppant de ses bras. Leurs bouches se cherchaient, s'exploraient avec passion.

Elle caressa son dos, sa nuque, puis son torse qui se soulevait au rythme rapide de sa respiration.

Matt n'en revenait pas : Cassie le désirait, c'était incroyable ! Il explora son cou, savourant le goût de sa peau, la couvrant de baisers impérieux, enivrants.

Le corps de Cassie s'embrasait, son cœur battait à tout rompre tandis que les mains de Matt caressaient les contours de son corps, traçant des sillons de feu le long de ses hanches, puis remontaient vers sa poitrine, comme s'il cherchait à mémoriser chaque parcelle de son corps.

Elle soupira d'aise. Elle voulait que cet instant ne finisse jamais ! Ivre de désir, elle se plaqua plus intimement contre lui.

Matt la souleva dans ses bras, sans pour autant desserrer son étreinte, et la porta dans la chambre. Il la déposa sur le lit et commença à se déshabiller avec frénésie tandis qu'elle se débattait avec ses propres vêtements, avide de sentir enfin le contact de son torse musclé contre sa peau nue.

Elle n'avait jamais ressenti cela auparavant !

Elle se consumait littéralement de désir. Son envie de le toucher, de sentir ses lèvres sur les siennes était presque douloureuse.

Matt traça d'une main les contours de sa poitrine, tandis que, de ses lèvres, il déposait une pluie de baisers sur son visage et son cou. Puis il descendit plus bas, le long de sa gorge, vers ses seins généreux.

Cassie n'aurait jamais cru possible de ressentir un tel plaisir.

Soudain, le téléphone sonna.

— Tu es obligé de répondre ? demanda-t-elle, haletante.

Matt lui lança un regard brûlant et pour toute réponse, captura sa bouche, l'embrassant à perdre haleine. Le téléphone finit par se taire.

Matt l'embrassa au creux des mains, traçant des sillons voluptueux le long de ses doigts. Soudain, il s'arrêta et s'écarta.

— Je ne peux pas faire ça. Pas comme ça, dit-il en prenant son visage dans ses mains.

— Tu l'as fait l'autre nuit. Où est la différence ? demanda-t-elle dans un souffle.

— Cass, il faut que je te dise : j'ai…, commença-t-il en caressant ses lèvres tremblantes.

Elle aimait l'entendre prononcer son nom. Elle attendit, suspendue à ses lèvres. Il semblait vouloir lui annoncer quelque chose d'important.

Soudain, on frappa à la porte avec insistance.

— Il faut que je réponde, dit-il en reculant.

— Non, laisse. Parle-moi…, demanda-t-elle d'une voix rauque en le retenant par le bras. Parle-moi de l'autre nuit.

— C'est peut-être important, répondit-il en secouant la tête et en repoussant sa main.

Cassie le regarda s'éloigner. Elle avait soudain l'impression qu'il la fuyait.

Il ouvrit la porte avec détermination, s'interposant pour qu'on ne puisse pas la voir.

— Qu'y a-t-il ? demanda-t-il d'une voix brusque.

— Je suis désolé de vous déranger, monsieur Keegan, mais il s'agit d'une urgence. L'ordinateur de bord pose quelques problèmes. On a besoin de vous immédiatement.

— J'arrive, répondit Matt, laissant la porte entrouverte.

Il se rhabilla sans prononcer un mot.

Elle avait tout entendu. Il était normal qu'il soit inquiet, distrait et tendu. Mais elle sentait qu'il y avait autre chose.

Eprouvait-il enfin des remords à cause de la première nuit ? Ou bien avait-elle fait ressurgir de mauvais souvenirs ? Elle secoua la tête, essayant de s'éclaircir les idées.

— Tu veux qu'on en parle plus tard ? demanda-t-elle en fixant la porte.

L'officier devait probablement toujours se trouver là à attendre, rendant toute discussion impossible. Etait-ce ce qu'il voulait ?

— Effectivement, je n'ai pas le temps maintenant, dit-il fermement. Je suis sûr que tu peux comprendre.

Oui, elle comprenait. Elle aussi était une femme d'affaires. Et elle avait été élevée par des bourreaux de travail. Mais d'un autre côté, son cœur refusait que Matt s'en aille. Il pouvait bien lui accorder une minute ou deux…

— Quand vas-tu revenir ?

Disant cela, elle se fit l'effet d'une petite fille capricieuse. Mais elle avait tellement besoin de lui ! Chaque parcelle de son corps brûlait de désir.

— Je ne sais pas, lança-t-il. Ne m'attends pas.

Cassie se recroquevilla sur elle-même, anéantie par ce brusque changement d'attitude de la part de Matt. Il aurait pu lui glisser quelques mots tendres. N'importe quoi pour la faire patienter jusqu'à son retour.

Elle essaya de se calmer. Elle pouvait attendre, elle n'était pas pressée. Ils auraient tout le temps de parler. Plus tard. Demain.

Matt claqua la porte derrière lui. Elle la fixa, hébétée. Elle ne pouvait s'empêcher de penser qu'elle était responsable de cette volte-face. Mais qu'avait-elle bien pu faire pour provoquer cette réaction ?

13.

Matt regarda par la fenêtre, les mains sur le clavier de l'ordinateur. Les étoiles laissaient la place à une aube grise et morose. Le jour avait enfin fini par se lever. Il s'étira pour détendre son cou endolori.

Cass avait dû s'endormir à force de l'attendre. Il n'avait qu'une envie : la rejoindre au plus vite ! Malheureusement, il était coincé ici.

Il ne cherchait pas à se cacher. Il travaillait. De toute façon, il n'avait pas à se justifier. Il n'avait pas peur de ce qu'elle avait éveillé en lui, c'était pour elle qu'il s'inquiétait.

Lorsque Cassie découvrirait ce qui s'était réellement passé la première nuit, elle ne voudrait plus le revoir. D'ailleurs, il n'avait pas pu se résoudre à lui faire l'amour tout à l'heure sans lui avoir avoué la vérité. Il s'en était fallu de peu…

De toute façon, aucune relation solide ne pouvait se construire sur un mensonge. Il fallait qu'il prenne le temps de réfléchir à la meilleure façon de lui annoncer la vérité, de trouver le lieu et le moment propices… Ce problème d'ordinateur était arrivé à point nommé.

L'écran afficha de nouvelles données et Matt se concentra sur son travail. Après tout, il était là pour ça.

Après un quart d'heure, il se leva brusquement et se mit à marcher pour évacuer sa tension. Il baissa la tête, essayant de

116

réfléchir à ce qu'il allait pouvoir lui dire. Il n'avait pas droit à l'erreur s'il voulait avoir une chance avec Cassie. Finalement, il s'arrêta et inspira profondément.

Plus il y pensait, moins il lui semblait facile d'annoncer la vérité à la jeune femme. Pas question d'aller la rejoindre avant d'être tout à fait prêt.

Il se sentait acculé. Elle le haïrait, c'est sûr. Mais il devait lui dire la vérité, essayer de lui faire comprendre qu'il avait eu de bonnes raisons d'agir ainsi.

Il consulta sa montre. Il lui restait encore pas mal de temps avant que le bateau n'accoste. D'ici là, il aurait trouvé une solution. Il saurait faire oublier à Cassie Sebastien et ses manigances abjectes !

— Matt !

Carl avait parlé d'un ton sec et Matt se retourna, surpris. L'écran de l'ordinateur n'affichait plus rien ! Il se précipita vers la machine, appuya sur une touche : rien ne se produisit. Il regarda sa montre avec désespoir. Il fallait absolument qu'il résolve ce problème avant leur arrivée à Dunedin.

Sur le balcon de la cabine, Cassie regardait la terre qui semblait approcher de minute en minute.

Elle se serait giflée ! Comment avait-elle pu imaginer une seule seconde qu'elle pourrait entamer une relation sérieuse avec Matt Keegan ? Comment avait-elle pu lui faire confiance ? Elle qui devait se marier dans deux jours !

Elle s'accouda au bastingage et plongea son regard dans les profondeurs de l'océan. Non, elle ne se lamenterait pas sur son sort à cause de lui ! Il ne méritait pas qu'elle perde son temps. Il avait choisi de la laisser seule, à moitié nue et pantelante dans son lit… et l'avait fait attendre une journée et une nuit entières !

Cassie posa son menton au creux de sa main. Matt n'avait même pas daigné lui donner la moindre nouvelle. Si elle comptait vraiment pour lui, il lui aurait envoyé un message… A moins d'être tombé par-dessus bord, ce qui était plus qu'improbable. Non, il avait simplement voulu lui faire comprendre qu'elle ne l'intéressait pas ! Ou alors, il était totalement absorbé par son travail. Elle était passée par là, elle savait ce que c'était.

Elle secoua la tête. Comment Matt avait-il pu lui faire ça ? Alors qu'elle s'était totalement abandonnée…

Inutile de se le cacher plus longtemps : elle était tombée amoureuse de lui. Elle aimait les intonations de sa voix, ses yeux qui savaient lire en elle si facilement. Elle adorait ses mots tendres, la chaleur de son regard, la douceur de ses caresses.

Si seulement il ne s'était pas enfui comme un voleur l'autre soir…

Ça devait être son lot dans la vie. Les histoires simples n'étaient pas pour elle. Elle tombait toujours sur des hommes rongés par de lourds secrets qui les empêchaient de lui faire l'amour et les faisaient fuir à la moindre occasion ! Elle commençait à devenir folle à essayer de comprendre l'attitude de Matt ! Mais peut-être qu'elle se torturait inutilement ; peut-être que c'était effectivement son travail qui le retenait aussi longtemps.

Elle s'assit sur l'une des chaises du balcon et contempla le port qu'elle distinguait au loin. Dire qu'une fois parvenue à terre, elle devrait ensuite rejoindre Sydney !

Avant l'arrivée inopinée de l'officier la veille au soir, elle était sûre que Matt s'apprêtait à lui dire quelque chose d'important.

A cette pensée, Cassie se redressa sur sa chaise. Elle n'allait pas se morfondre à cause de lui ! Il ne le méritait pas. Il ne *la* méritait pas. S'il voulait la laisser seule sans même lui expliquer pourquoi, grand bien lui fasse !

Cassie compta les minutes jusqu'à ce que le paquebot accoste. Elles passaient à une lenteur désespérante. Elle ferma les yeux, essayant de faire le vide dans son esprit, espérant toujours le retour de Matt. Enfin, la sirène annonçant l'arrivée retentit. Toujours aucun signe de Matt.

Elle rentra dans la cabine d'un pas lourd, traîna un peu dans la chambre, ouvrant le tiroir de la commode et en sortit les vêtements qu'il lui avait achetés.

Elle jeta un regard circulaire à l'intérieur de la cabine, respirant la brise marine, l'eau de toilette de Matt, et regarda le lit une dernière fois. Peut-être qu'un jour, elle se souviendrait de leur première nuit.

Elle empila toutes ses affaires dans ses sacs, essayant de ne pas penser à Matt qui l'évitait, qui ne l'avait même pas appelée. Son travail ne pouvait pas être à ce point accaparant !

Elle avait dû se faire des idées : il avait probablement voulu s'amuser encore un peu avec elle avant son départ.

Pourtant, Cassie passa devant la salle des officiers, espérant toujours rencontrer Matt. Elle ne voulait surtout pas le manquer. Pas maintenant. C'était peut-être sa dernière chance de le revoir ! Hélas, il n'y était pas.

Le cœur lourd, elle gagna le pont et regarda le quai se rapprocher. Plus que jamais, elle avait envie de dire à Matt ce qu'elle ressentait pour lui. Et lui donner une chance de s'expliquer. Car elle avait vu trop de films dans lesquels l'héroïne partait sans connaître les véritables sentiments du héros, perdant un temps précieux, ou ruinant sa chance d'aimer et d'être heureuse, finissant ses jours seule. Elle n'avait pas envie de faire la même chose.

Elle l'aimait. Il fallait qu'elle le lui dise ; elle ne bougerait pas avant de l'avoir fait.

Cassie observait la foule qui se massait sur le pont de débarquement. Evidemment, elle devrait annoncer à Sebastien que le mariage était annulé.

Matt n'était toujours pas en vue. Il ne pouvait tout de même pas la laisser partir sans lui dire au moins au revoir ! Sa gorge se serra. Il savait qu'à son retour en Australie, elle était censée se marier.

— Cass, vous allez faire une petite excursion ?

Cassie reconnut tout de suite la voix de Rob. Elle était abasourdie. Si elle ne travaillait pas, où était Matt ?

Cassie secoua la tête, incapable de parler. Elle rencontra les yeux sombres de Rob, si semblables à ceux de son frère.

— Vous partez ? s'enquit Rob, très étonnée.

— Oui, répondit-elle en évitant son regard. J'ai des choses à faire en Australie, ajouta-t-elle en regardant la foule qui s'organisait en petits groupes pour débarquer.

— Ça a quelque chose à voir avec Matt ? Je sais qu'en ce moment il n'a pas un caractère facile. Je ne comprends pas ce qui lui prend depuis quelques jours. D'habitude, il n'est pas du tout comme ça. Je ne l'ai jamais vu aussi préoccupé. Dites-moi, que se passe-t-il au juste entre vous ?

— Rien.

Ce petit mot résumait parfaitement la situation. Il était de plus en plus clair que tout ce qui s'était passé sur ce bateau ne signifiait rien pour Matt.

Elle regarda par-dessus l'épaule de Rob. Pourquoi sa sœur était-elle là et pas lui ?

— Vous êtes sûre ? insista cette dernière. Je n'ai même pas vu Matt ce matin. Apparemment il travaille toujours. Moi, j'ai passé la moitié de la nuit à travailler sur le système de sécurité et là, il faut que j'y retourne….

Cassie sentit l'espoir renaître au fond d'elle.

— Je vais vous paraître un peu indiscrète, dit Rob, mais j'aimerais vous poser une question : vous avez bien partagé la cabine de Matt ces trois derniers jours ?

— La même cabine, oui, répondit Cassie, le rouge aux joues, mais pas le même lit. Sauf lors de la première nuit, ajouta-t-elle sans pouvoir s'en empêcher. Avant que le paquebot ne lève l'ancre.

— Comment ça ? s'étonna Rob.

— Dimanche soir, avant le départ du bateau, Matt et moi avons fait l'amour.

— C'est impossible, rétorqua Rob sans l'ombre d'une hésitation. Matt n'est arrivé que lundi matin. Je le sais très bien pour la bonne et simple raison que je l'accompagnais.

— Il n'est arrivé que lundi ? répéta Cassie, qui n'en croyait pas ses oreilles.

Son sang se glaça dans ses veines. Impossible…

Pourtant, cela semblait plausible puisque, en dépit de ses efforts, elle n'avait pas pu se remémorer le moindre détail de leur nuit passée ensemble. Bon sang ! Tout ce stress, cette inquiétude, cette culpabilité alors qu'elle n'avait rien fait ! Elle sentit les larmes affluer sous ses paupières. Comment avait-il pu lui mentir ? Pourquoi ?

— Il est vraiment venu avec vous ? parvint-elle à demander en essayant de garder son calme. Il n'était pas à bord cette nuit-là, vous en êtes sûre ?

— Evidemment j'en suis sûre. Ecoutez, que vous a-t-il raconté exactement ? s'enquit-elle en lui posant une main sur l'épaule.

Rob devait la prendre pour une folle. Mais peut-être qu'elle l'était après tout. Pourquoi diable Matt lui aurait-il raconté toute cette histoire ? C'était totalement absurde !

— Ecoutez, je dois y aller, dit-elle à Rob en se détournant.

121

Tout allait de mal en pis. Il l'évitait, et maintenant, elle découvrait qu'il n'avait pas couché avec elle, qu'il lui avait menti… Jusqu'à quel point ?

— Une dernière question, lança Cassie en se retournant. Pourquoi avez-vous refusé de partager votre cabine avec moi ?

— Mais si vous me l'aviez demandé, j'aurais accepté, bien sûr, s'étonna Rob.

— Matt ne vous a rien dit ?

— Non. Il ne m'a rien demandé, répondit Rob, de plus en plus intriguée.

— Bon, désolée Rob, mais il faut que j'y aille maintenant, déclara Cassie avec un faible sourire. Profitez bien de la croisière… et de la piscine, ajouta-t-elle, ne sachant quoi dire d'autre.

— Vous savez, je ne risque pas de nager. J'ai bien trop peur de l'eau, répondit Rob, soudain nerveuse.

— Oh, je vois… C'est donc vous qui avez trouvé votre frère ce jour-là ! murmura Cassie, qui commençait à comprendre.

Sur ces derniers mots, elle s'éloigna, se frayant un passage à travers la foule, ses sacs sous le bras.

Soudain, elle sentit quelque chose couler sur ses joues. Elle s'essuya machinalement du dos de la main. Elle pleurait ! Pour la première fois depuis cinq ans !

Elle ravala ses sanglots. C'était tellement injuste. Elle aimait Matt ; elle l'aimait vraiment de tout son cœur.

Pourquoi s'était-elle laissée aller ainsi ? Elle savait pourtant qu'elle risquait de souffrir.

Elle respira profondément pour se donner du courage. Il ne méritait pas qu'elle pleure pour lui. Il en allait de même pour Tom. Et pour le mariage raté de ses parents. Ce n'était pas sa faute. C'était eux les fautifs, pas elle.

Cassie hésita en haut de la rampe de débarquement. Une grande part d'elle-même voulait encore donner à Matt une chance de se justifier. Il devait forcément y avoir une explication tout à fait logique à son attitude.

Soudain, un officier l'accosta :

— Mademoiselle Win ? M. Keegan m'a demandé de vous remettre ceci. En vous souhaitant un bon retour.

Cassie examina les papiers que l'homme lui tendait. Le doute n'était plus permis. Il s'agissait de billets d'avion. Payés d'avance. Et Matt lui souhaitait simplement un bon voyage.

Tout était on ne peut plus clair. Il lui avait menti, l'avait utilisée et à présent, il se débarrassait d'elle, sans autre forme de procès.

Elle releva le menton. Elle allait partir, retrouver sa vie d'avant et Sebastien. Rien ne s'était passé sur ce bateau. Rien du tout !

Une fois sur le quai, elle repéra un coursier en uniforme sur le quai. Il tenait une enveloppe à la main. Elle se dirigea vers lui d'une démarche un peu raide, regrettant de ne pas avoir demandé à Eva de lui envoyer son agenda avec son passeport. Elle aurait au moins pu passer le voyage du retour à réorganiser sa vie.

Cassie prit l'enveloppe. Son mariage avait lieu dans deux jours et désormais, plus rien ne se dressait en travers de son chemin pour ce grand événement.

14.

Matt s'agita sur son siège et consulta sa montre. Les heures avaient défilé à une vitesse incroyable ! Ça faisait déjà un moment qu'ils avaient accosté.

Il appuya rageusement sur une touche : il était coincé dans cette salle jusqu'à ce que le système soit complètement opérationnel. Ils avaient réussi à réparer suffisamment de commandes pour permettre l'accostage, mais tout était encore loin d'être terminé. Il observa les officiers sur le pont. Aucune chance de s'échapper en douce, sauf s'il tenait à couler son entreprise.

Cass devait se douter qu'il travaillait encore, et non qu'il essayait de l'éviter. Evidemment, il en avait un peu profité pour réfléchir et il avait enfin trouvé comment lui avouer la vérité. Il était sûr qu'elle comprendrait maintenant qu'elle avait fait la connaissance de Rob. Elle comprendrait qu'il n'avait pas eu d'autre choix que de lui mentir pour protéger sa sœur. Et elle lui pardonnerait.

Bon sang, comme il avait envie d'aller la retrouver ! En plus, il était mort de fatigue. Il n'en pouvait plus de rester enfermé ici.

Quelqu'un lui versa une autre tasse de café, le tirant de ses pensées.

— J'ai remis les billets à votre amie, monsieur. Comme vous me l'aviez demandé.

— Qu'est-ce que vous dites ? s'exclama Matt en relevant la tête.

— J'ai suivi vos instructions, répondit le jeune officier en se raidissant. J'ai réservé les billets d'avion de Mlle Win et les lui ai donnés avant qu'elle débarque.

— Elle est partie ? demanda Matt, la gorge serrée.

— Oui, monsieur. Je m'en suis assuré personnellement.

Elle était partie ! Sans un mot. Matt baissa la tête, le cœur serré. Le pire, c'est qu'elle allait retrouver Sebastien sans avoir la moindre idée de ce qui s'était réellement passé entre eux.

L'officier toussota.

— Ne vous inquiétez pas, monsieur Keegan. Je lui ai souhaité un bon voyage de votre part.

— Merci, marmonna-t-il.

Bon sang, Cassie devait sûrement penser qu'il avait voulu se débarrasser d'elle !

Il s'approcha de la fenêtre, le regard absent, laissant son café refroidir. Le problème informatique était réglé. Carl et Trent effectuaient les dernières vérifications de routine.

Soudain, sa sœur entra en trombe dans la pièce :

— C'est *moi* qui l'ai trouvé dans la piscine ! s'exclama-t-elle.

Matt se retourna et pâlit en voyant le visage défait de sa sœur, ses yeux pleins de larmes.

— Pardon ?

— Ne fais pas l'innocent, balbutia Rob. J'ai tout compris. C'est moi qui l'ai trouvé. C'est pour ça que je ne me souviens de rien… et que j'ai tellement peur de l'eau… Parce que je n'ai pas pu le sauver. Si seulement j'avais su quoi faire pour le ranimer…

— C'était un accident, murmura Matt en la prenant dans ses bras.

Comment avait-elle bien pu découvrir la vérité ?

— Pourquoi personne ne m'a jamais rien dit ? gémit-elle.

— Tu étais trop jeune. Et tu ne te souvenais de rien. On a pensé que c'était mieux ainsi.

— Qui ça, « on » ?

— Papa et maman. Ils ont trouvé qu'il valait mieux que tu oublies les détails. Et plus le temps passait, plus il était difficile de faire marche arrière, dit-il d'une voix éteinte.

Rob semblait capable de tenir le choc… mais il n'était pas certain qu'elle puisse supporter toute la vérité. De toute façon, elle n'avait pas besoin d'en savoir plus.

— Il faut que je prenne du temps pour y réfléchir, dit Rob en essuyant ses larmes.

— Tu es sûre que ça va ? demanda Matt en la lâchant à regret.

— Je m'en remettrai.

Matt se releva et regarda à travers la vitre, essayant de refouler la vague d'émotions qui l'assaillait. Comme il aurait aimé protéger Cassie de Sebastien. Bon sang, pourquoi l'avait-il laissée partir ?

— Elle te manque déjà ? demanda Rob en reniflant.

— Tu l'as vue débarquer ?

— Oui. Et elle était dans un triste état. Qu'est-ce que tu lui as fait, au juste ?

— Demande plutôt ce que je n'ai pas fait, répondit-il en s'adossant au mur.

— Peu importe, la vraie question, c'est ce que tu comptes faire maintenant, dit Rob en lui prenant la main.

Matt se redressa. Elle avait raison. Tout n'était pas perdu. Il contempla longuement la ville au loin. L'aéroport n'était pas si distant. Il pouvait encore la rattraper. Mais il était hors de question qu'il s'en aille maintenant. Il avait un travail à terminer. Et puis, il ne pouvait pas lui annoncer la vérité de but en blanc. Elle ne comprendrait pas.

Jamais il n'avait autant regretté un mensonge de toute sa vie. Cassie se donnerait-elle seulement la peine de l'écouter ? Rien de moins sûr. De toute façon, il ne pouvait rien lui dire pour l'instant, sinon Sebastien risquait de tout révéler à Rob à propos de la mort de leur frère. C'était un vrai casse-tête !

Non, il fallait qu'il se montre patient : Cass parlerait de son « infidélité » à Sebastien et le mariage serait annulé. Et peut-être que d'ici quelques mois, quand les choses se seraient un peu tassées, il entrerait de nouveau en contact avec elle pour enfin tout lui expliquer.

Cette pensée le rasséréna. Soulagé, il rejeta les épaules en arrière et retourna à son ordinateur.

Tout ce qu'il avait à faire d'ici-là, c'était s'investir dans le travail. Ainsi, il n'aurait pas le temps de penser aux événements qui s'étaient écoulés ces derniers jours, ni à la douceur de la peau de Cassie… ni à sa douleur lorsqu'elle apprendrait la vérité.

Oublier Cassie revenait à essayer de retenir sa respiration ! Il ne tenait pas plus d'une minute ou deux. Des visions d'elle le hantaient à chaque fois qu'il fermait les yeux, dès qu'il arrêtait de travailler ou que quelqu'un s'approchait de lui.

Dunedin était loin maintenant, pourtant la jeune femme était toujours aussi présente à son esprit.

Comble de l'ironie, les ordinateurs n'avaient plus posé aucun problème depuis le départ. Il aurait préféré le contraire. Au moins, ça lui aurait évité de ressasser le passé.

Il l'imaginait montant dans l'avion, s'envolant loin de lui, vers un fiancé qui n'était pas du tout l'homme qu'elle croyait.

Il serra les dents. Il aurait dû lui dire la vérité. La prévenir de ce qui l'attendait. Bon sang, pourquoi ne lui avait-il rien dit ? Elle allait le détester !

Matt sortit de la salle des ordinateurs, levant les yeux vers le ciel d'un bleu éclatant. Le nouveau système fonctionnait parfaitement bien. Le pire était passé pour son équipe, mais pas pour lui.

Il erra à l'aveuglette et ses pas le menèrent sur le pont supérieur. Il s'appuya lourdement au bastingage, regardant la ville de Lyttelton. Il savait que Christchurch et l'aéroport international n'étaient pas loin. Il pourrait facilement débarquer et rattraper Cassie. Mais ce serait stupide. Elle devait être rentrée à l'heure qu'il était.

Et elle avait déjà suffisamment de problèmes. Après tout, elle aimait vraiment Sebastien. C'était évident, après ce qu'elle avait dit dans sa cabine la dernière fois... Ça le rendait malade rien que d'y penser.

Puis il repensa à leurs caresses, aux baisers qu'ils avaient échangés. Il n'arrivait pas à comprendre ce qui s'était passé. Avait-il mis trop de pression sur ses épaules ? Son mensonge l'avait-il influencée ? Il secoua la tête. Tout ça n'avait aucun sens.

— Un appel pour vous, monsieur Keegan, dit un officier en s'approchant.

Son cœur fit un bond dans sa poitrine. C'était peut-être Cass.

Matt courut presque jusqu'au téléphone, avide d'entendre sa voix et de pouvoir s'expliquer.

— Matt Keegan, annonça-il en retenant son souffle.

— Keegan, fit une voix masculine, aux intonations nasillardes. C'est Sebastien Browning-Smith. Nous avons un petit problème.

— Qu'est-ce qui se passe ? demanda Matt, abandonnant toute velléité de politesse.

— Cassandra ne m'a rien dit à propos de vous deux, expliqua Sebastien d'une voix méprisante. Vous connaissez notre arran-

128

gement. Eh bien, il semble que vous n'ayez pas rempli votre part du marché. Je me vois donc obligé de téléphoner à une certaine personne de notre connaissance. A moins que vous ne m'aidiez.

— Je ne vois pas ce que je peux faire, répondit Matt en serrant les poings.

— Le mariage est prévu pour demain. Vous n'avez qu'à venir, dit-il, et au moment propice, vous révélerez toute la vérité.

— Quelle vérité ? demanda Matt, bouillant de rage.

— Que vous avez couché avec ma fiancée, évidemment !

Sebastien parlait d'une voix aussi décontractée que s'il était en train de se commander à dîner.

— Ça ne va pas être possible, répondit Matt en essayant de rester calme.

— Oh, mais bien sûr que si, répondit Sebastien d'un ton satisfait. D'ailleurs, ce sera une excellente occasion : la presse et la télévision seront présentes.

— Sa famille aussi, lâcha Matt.

Sebastien ne parut même pas l'entendre. Il ajouta :

— Je me suis déjà occupé de votre billet d'avion. Quelqu'un viendra vous chercher à l'aéroport et vous conduira à l'hôtel. Le mariage est à 13 heures.

— Mais…, essaya-t-il de protester, au comble de la fureur.

Peine perdue : Sebastien avait déjà raccroché.

Et maintenant, qu'allait-il faire ? Cassie avait déjà toutes les raisons de le détester. Alors s'il sabotait son mariage et l'humiliait devant toute sa famille, ses amis et la presse, elle allait carrément le haïr ! Mais avait-il réellement le choix ?

15.

Eva se pencha vers Cassie qui regardait par la fenêtre de l'église.

— Vous cherchez quelqu'un ? s'enquit-elle.

— Non, non, ça va, répondit Cassie en se détournant.

Elle esquissa un vague sourire mais le cœur n'y était pas. Son regard ne cessait de se tourner vers la porte. Elle ne pouvait pas s'en empêcher. Au fond, elle espérait encore.

Mais il ne fallait pas rêver : aucun preux chevalier n'allait apparaître sur le pas de la porte et l'emmener loin d'ici. En fait, son chevalier n'était qu'un escroc. Un opportuniste de la pire espèce, qui lui avait fait perdre la tête.

Ces deux derniers jours, Cassie avait eu le temps de réfléchir aux agissements de Matt. Il avait dû élaborer ce plan tordu en la trouvant endormie dans sa cabine ce fameux lundi matin. Probablement pour la convaincre de coucher avec lui sans avoir à faire le moindre effort pour la séduire. C'était la seule réponse qu'elle avait trouvé à la question qui la torturait : *pourquoi* ?

Elle sentit sa gorge se serrer. Il fallait qu'elle se ressaisisse. Elle allait se marier, enfin ! Dans moins d'une heure, elle serait Mme Browning-Smith.

— Je suis là si vous avez besoin de parler, proposa Eva en lui posant une main sur l'épaule.

— Merci, Eva, répondit Cassie en s'écartant légèrement. Mais ça va.

Si elle avait envie de se confier à quelqu'un, ce n'était certainement pas à elle ! Où étaient ses amies ? Elle avait besoin d'une oreille compatissante pour s'épancher.

— Où est Linda ? demanda-t-elle.

— Linda ? Je lui ai demandé de s'assurer que les témoins du marié étaient prêts.

— Et Christine ?

Elle lui avait parlé un peu plus tôt de ce qui s'était passé sur le paquebot. Son amie l'avait écoutée raconter cette histoire, faisant tout son possible pour la réconforter. Ensuite, elle lui avait conseillé de reporter le mariage le temps de réfléchir. Mais réfléchir à quoi ? Les faits étaient là : Matt Keegan n'était qu'un sale menteur et elle allait se marier à un homme merveilleux et plein d'avenir.

— Christine s'occupe des fleurs, finit par répondre Eva, tirant Cassie de ses pensées.

— Vous n'avez rien laissé au hasard, déclara-t-elle en soupirant.

Eva avait réussi à éloigner tout le monde, de telle sorte qu'elle n'avait personne d'autre à qui parler. Mais même si Eva était pleine d'attentions, Cassie n'avait pas confiance en elle. En fait, elle s'en était toujours méfiée.

— Il s'est passé quelque chose sur le bateau ? Vous voulez en parler ? demanda Eva en fixant le voile de Cassie dans ses cheveux.

La question la désarçonna. Sa détresse était-elle si visible ? Elle avait tellement essayé de se comporter normalement, de reprendre sa vie d'avant, mais ça n'avait pas marché. Elle n'avait même pas pu se résoudre à voir Sebastien avant le mariage… Il avait dû se douter de quelque chose lorsqu'elle lui avait téléphoné. Il lui avait posé un tas de questions bizarres sur ses vacances impromptues.

Cassie faisait de son mieux pour nier qu'il s'était passé quelque chose, mentant aux autres autant qu'à elle-même. Elle aurait presque pu se convaincre que les derniers jours n'avaient jamais existé. Qu'il ne s'agissait que d'un cauchemar. C'était compter sans ce terrible sentiment de vide qu'elle éprouvait…

Dire qu'elle avait passé son temps à essayer de se souvenir d'événements qui ne s'étaient jamais produits ! Elle avait dû passer pour une belle idiote ! Elle en blêmit de rage.

— Vous êtes sûre que ça va ? demanda Eva en s'écartant pour juger de l'effet de sa robe de mariée.

— C'est le paradis ! mentit Cassie.

Elle en était persuadée : elle oublierait très vite Matt, et Sebastien la rendrait parfaitement heureuse. Ils auraient une vie parfaite avec leurs deux enfants, dans leur banlieue cossue.

Cassie agrippa fermement son bouquet pour cacher le tremblement de ses mains et se tourna de nouveau vers la fenêtre. Elle n'allait quand même pas gâcher son mariage à cause de cet homme ! Elle était sûre d'avoir fait le bon choix.

De l'endroit où elle se trouvait, elle pouvait voir tout le monde arriver. Evidemment, ses parents étaient venus séparément. Mais Cassie avait tout de suite remarqué leur raideur et leurs sourires crispés lorsqu'ils s'étaient adressé la parole. On aurait dit deux boxeurs sur un ring. Comment pouvaient-ils se comporter ainsi alors que des années plus tôt, ils s'étaient aimés ?

Toutes ces années où ils étaient restés ensemble, vivant dans le mensonge pour préserver les apparences…

Cassie se redressa et releva le menton. Pas question qu'elle finisse comme eux !

Soudain, la porte s'ouvrit.

Cassie se retourna précipitamment, laissant tomber son bouquet. Sa mère entra, très belle dans son tailleur bleu nuit.

— Maman, murmura-t-elle.

— Le voyage m'a complètement épuisée… Le décalage horaire, toute cette circulation : un véritable enfer ! dit-elle. Mais regarde-toi ! Ma petite fille a grandi et elle est sur le point de se marier.

— Je vous laisse toutes les deux, déclara Eva en s'éloignant. Je vais voir si les demoiselles d'honneur sont prêtes.

— Maman, dit Cassie d'une voix éteinte.

Elle était au bord des larmes. Ça faisait des mois qu'elle n'avait pas vu sa mère. Celle-ci saurait forcément quoi faire, elle comprendrait, elle pourrait l'aider. Il fallait qu'elle lui dise, qu'elle lui explique… mais elle était trop bouleversée pour parler.

— Qu'est-ce qu'il y a ma chérie ? Quelque chose ne va pas ?

Cassie secoua la tête. Comment pouvait-elle raconter à sa mère ce qui s'était passé ? Elle la trouverait stupide d'avoir fait confiance à Matt, de s'être laissée berner une nouvelle fois.

— C'est à cause du mariage ? Tu es nerveuse ?

Non, ça n'avait rien à voir avec ses nerfs. Elle voulait seulement que quelqu'un lui dise qu'elle prenait la bonne décision. Qu'épouser Sebastien était la meilleure chose à faire. Que tout irait bien !

Elle s'apprêtait à parler lorsque la porte s'ouvrit de nouveau. Cassie se retourna.

— C'est l'heure, annonça Eva.

— Maman ? lança Cassie, complètement perdue.

— Vas-y, répondit celle-ci en lui tapotant la joue et en la poussant vers la porte. Il t'attend.

Cassie se força à avancer. Voilà. C'était le moment qu'elle avait tant attendu. Elle allait épouser l'homme de ses rêves – c'était le plus beau jour de sa vie.

Elle ferma les yeux pour oublier la douleur qui lui comprimait la poitrine. Elle prenait la bonne décision. Elle allait épouser Sebastien Browning-Smith et au diable Matt Keegan !

Elle avança, résignée, et gagna la nef de l'église.

Matt prit place sur un banc en bois et attendit parmi des inconnus, l'entrée de celle qui avait volé son cœur.

En arrivant, il n'avait pas manqué de remarquer la nervosité de Sebastien, qui attendait sur le parvis de l'église. Lui et ses quatre témoins portaient le même smoking et souffraient tous d'une calvitie naissante, qui leur donnait un air de famille. Ils se tenaient l'un à côté de l'autre, par ordre de taille. C'était à se demander s'ils l'avaient fait exprès. Avec leur rose blanche à la boutonnière, ils formaient l'image de la perfection.

Matt était fou de rage à l'idée que Cassie épouse cet homme. Elle ne serait pas heureuse avec lui. Pourtant, malgré ce qui s'était passé entre eux sur le bateau, elle semblait désirer à tout prix cette union.

Quant à lui, il ne se sentait pas le droit de s'imposer une fois de plus dans sa vie. Il lui avait déjà fait assez de mal. Elle méritait d'être heureuse. Et si elle voulait tellement épouser Sebastien… qui était-il pour l'en empêcher ?

Il avait pensé un instant rester sur le paquebot, prétextant avoir raté son avion, mais il n'avait pas pu s'y résoudre. Il fallait qu'il sache. Pour son propre bien.

Il secoua la tête. Au moins, il avait réussi à protéger Rob. Son travail terminé, il avait insisté pour qu'elle prenne de longues vacances, suggérant un séjour dans les îles grecques. Là-bas, elle aurait le temps de réfléchir, de faire le deuil de leur petit frère. Et l'avantage, c'est qu'elle serait également à l'abri de Sebastien.

Concernant Cassie, il se sentait perdu. Tout aurait pourtant dû être simple maintenant que Rob ne craignait plus rien. Il aurait pu laisser Sebastien et Cass se débrouiller. Mais il n'avait pu s'y résoudre.

Les yeux rivés sur la porte, il attendait nerveusement l'entrée de la mariée. Ce n'était plus qu'une question de minutes, à présent.

Soudain, Eva s'avança dans sa direction.

— Détendez-vous et souriez, murmura-t-elle à son oreille. Vous êtes à un mariage, pas à un enterrement, ajouta-t-elle en lui tendant un caméscope. Tenez, vous n'avez qu'à filmer pendant un moment. En plus, ça aura l'avantage de dissimuler votre visage. Il ne faudrait pas que Cassandra vous voie trop tôt, ça risquerait de tout gâcher.

Matt contempla le caméscope. Pourquoi pas ? Il filma l'intérieur de l'église, décorée de fleurs et de plantes grimpantes. L'église était tout en bois travaillé, probablement du teck, recouvert de tapisseries qui avaient dû connaître des jours meilleurs.

Soudain, l'orgue égrena les premières notes de la marche nuptiale, le tirant de ses pensées. Mais la musique cessa au bout de quelques secondes, provoquant une vague de murmures dans l'assistance. Cassie avait-elle changé d'avis ? songea-t-il, plein d'espoir. Matt se retourna pour fixer les portes : aucun signe de la mariée.

Mais à son grand désespoir, la musique reprit. Quatre demoiselles d'honneur vêtues de longues robes roses pénétrèrent dans l'église. Chacune portait un bouquet de fleurs coordonnées. Elles avançaient lentement, descendant l'escalier au rythme de la marche nuptiale. Matt filma tout, comme l'aurait fait n'importe quel invité.

Enfin, Cass fit son apparition. Le tissu soyeux de sa robe ondulait autour d'elle tandis qu'elle avançait vers l'autel. Aux yeux de Matt, elle ressemblait à l'agneau innocent prêt à être sacrifié.

Matt la filma en gros plan. Elle était absolument magnifique, mais gardait le visage baissé et semblait ailleurs, insensible aux objectifs qui la mitraillaient.

Elle s'arrêta au pied de l'autel. Un homme, vraisemblablement son père, la confia au bras de Sebastien. Matt n'avait même pas remarqué l'homme grisonnant qui marchait à ses côtés ! Ni quoi que ce soit d'autre, d'ailleurs : il n'avait d'yeux que pour elle !

Le prêtre prit la parole.

— Nous sommes réunis aujourd'hui dans la maison du Seigneur, pour unir cet homme, Sebastien, et cette femme, Cassandra, par les liens sacrés du mariage.

Matt sentit sa gorge se serrer. C'était au-dessus de ses forces. Il ne pouvait pas la laisser épouser ce type alors qu'il savait pertinemment que ce mariage n'avait aucun avenir. Sebastien ne l'aimait pas, mais il l'épouserait quand même et attendrait la fin des élections pour l'humilier.

— Ce que Dieu a uni, nul ne peut le désunir, continua le prêtre. S'ils ont des enfants, qu'ils aient la joie de les élever dans la lumière du Christ…

A ces mots, Matt tressaillit. La pensée que Cassie puisse avoir des enfants avec Sebastien le mettait hors de lui. Il ne pouvait pas la laisser commettre une erreur pareille ! Lentement, il abaissa le caméscope, tandis que le prêtre continuait :

— Si quelqu'un dans l'assistance a des raisons de s'opposer à cette union, qu'il parle maintenant… ou se taise à jamais.

Matt se leva et plusieurs têtes se tournèrent vers lui.

C'était la minute de vérité. Le choix le plus important de sa vie. Se taire et la laisser épouser Sebastien Browning-Smith… ou lui dire la vérité et la perdre.

16.

— Moi, je m'y oppose ! lança Matt.

— Pardon ? s'exclama le prêtre, abasourdi.

Toute l'assistance se tourna vers Matt, dans un silence de mort. Matt rencontra le regard de Cassie. Impossible de déchiffrer ses pensées. Il commençait à douter sérieusement. Avait-il fait le bon choix ?

— Ce que vous dites est très grave, jeune homme, reprit le prêtre en fronçant les sourcils. Etes-vous sûr de vous ?

— Oui, répondit Matt sans quitter Cassie des yeux.

— Qu'avez-vous à dire ?

— Cassandra ne peut pas épouser Sebastien Browning-Smith parce que… je l'aime.

Cassie en eut le souffle coupé. Elle avait l'impression que sa poitrine allait exploser. Il l'aimait ! Elle sentait les larmes lui monter aux yeux. C'était tout ce qu'elle voulait, tout ce qu'elle espérait. Mais pouvait-elle lui faire confiance ?

— Voulez-vous qu'on le fasse sortir ? demanda le prêtre en se tournant vers elle.

— Non, je veux entendre ce qu'il a à dire, intervint Sebastien, l'air indigné. Qu'est-ce que cela signifie, Cassandra ? Que s'est-il passé entre cet homme et toi ?

Cassie frémit sous l'accusation. Elle aurait dû tout lui dire. Sebastien ne méritait pas d'être mis dans l'embarras de cette façon, tout ça parce qu'elle n'avait pas eu le courage de lui avouer la vérité.

— Je crois qu'il serait préférable que nous laissions les principaux intéressés régler le problème en privé, annonça le prêtre à l'assemblée.

Sebastien se dirigea vers l'arrière-salle d'un pas raide, Cassie sur ses talons. Les souvenirs de ces trois jours passés sur le paquebot lui revinrent en mémoire. Ses conversations avec Matt, leurs instants de passion… la découverte de ses mensonges !

Son sang se mit à bouillir dans ses veines. A quoi pensait-elle donc ? Il ne pouvait pas l'aimer. Il lui avait menti !

Elle se retourna et le regarda. Malgré la présence du prêtre et de son fiancé, se trouver dans la même pièce que Matt la rendait nerveuse. Décidément, cette arrière-salle était beaucoup trop exiguë à son goût.

— Fais vite, Matt, lança-t-elle, luttant contre son désespoir. Nous n'avons pas beaucoup de temps.

— Il fallait que je te le dise, bredouilla-t-il en baissant la tête. Je t'aime, ajouta-t-il en la regardant cette fois-ci droit dans les yeux.

— Que sais-tu de l'amour ? reprit-elle, serrant son bouquet contre elle comme pour se protéger.

— Que s'est-il passé entre vous ? demanda Sebastien en regardant le prêtre, qui n'avait pas l'air très à l'aise. D'abord, comment se fait-il que tu connaisses cet homme ? Il est arrivé quelque chose sur ce bateau ?

— Non. Il ne s'est rien passé. N'est-ce pas ? ajouta-t-elle à l'intention de Matt en lui lançant un regard accusateur.

— Je souhaiterais parler seul à seul avec Cassie, répondit ce dernier.

— Je crois que c'est la meilleure chose à faire, en effet, répondit Sebastien en entraînant le prêtre vers la sortie. Ça ne te dérange pas, ma chérie ?

138

Cassie ne protesta pas. Elle avait deux ou trois choses à dire à Matt et elle préférait que son futur mari ne soit pas là pour les entendre. Elle ne voulait pas lui faire de peine. Elle était heureuse qu'il se montre aussi compréhensif, lui rappelant une nouvelle fois pourquoi elle avait choisi de l'épouser.

Sebastien ouvrit la porte, obligeant le prêtre à sortir.

— Tout ceci est très inhabituel, dit ce dernier d'un air réprobateur.

Cassie regarda Matt. Elle était en colère. Pas question qu'elle gobe bêtement le moindre mot qui sortirait de sa bouche. Elle ne se ferait pas avoir deux fois !

— Je dois t'avouer quelque chose… je t'ai menti le premier jour, commença-t-il en se rapprochant. Nous n'avons jamais fait l'amour.

— Vraiment ? railla-t-elle en reculant. Je ne comprends pas, dit-elle innocemment. Pourquoi ?

— C'est compliqué, dit-il en se rapprochant de nouveau, mal à l'aise.

— Je suis tout ouïe.

— On m'a fait du chantage.

— Si c'est le seul argument que tu as trouvé pour ta défense…, dit-elle en tournant les talons.

— C'est pourtant la vérité, expliqua-t-il en la retenant par le bras. Rob ne savait pas qu'elle était impliquée dans la mort de notre petit frère. Comme elle ne se souvenait de rien, on a préféré ne rien lui dire. Elle n'a jamais rien soupçonné jusqu'au jour de ton départ. La vérité pourrait la détruire, dit-il en la suivant.

— Comment va-t-elle ? murmura-t-elle, dégoûtée par sa propre stupidité.

— Pas trop mal, fit-il en se rapprochant. Mais il y a une chose que tu dois savoir : c'est Rob qui devait surveiller Brendan ce jour-là. Elle a eu un moment d'inattention et il s'est noyé. Tu

139

peux donc comprendre à quel point il est important pour moi de la protéger de la vérité ?

Cassie détourna les yeux. Elle avait de la peine pour Matt, pour ce petit garçon qui était mort, et pour Rob qui ne méritait pas de supporter un tel fardeau.

— Mais moi, je ne suis pas importante ? demanda-t-elle dans un murmure. Je ne méritais pas que tu me dises la vérité ?

— Si, bien sûr, dit-il en prenant son visage entre ses mains. Tu es la femme la plus merveilleuse que j'aie jamais rencontrée. Tu mérites d'être heureuse. C'est pour ça que je suis là.

Cassie se dégagea et observa les mains de Matt, essayant d'ignorer les battements précipités de son cœur. Son visage était si proche du sien, ses yeux semblaient si vulnérables !

— Pourtant, tu ne m'as rien dit.

Il lui avait menti. Il l'avait laissée se torturer pour rien. Si seulement il lui avait révélé la vérité…

— Tu dois essayer de comprendre. Je ne pouvais pas supporter que l'on fasse du mal à Rob.

Cassie s'adossa à la porte. Elle non plus elle ne le voulait pas. Que croyait-il — qu'elle était sans cœur ?

— Alors, quelqu'un était au courant et t'a fait du chantage ? demanda-t-elle, ne sachant plus que croire. Excuse-moi, mais je ne vois toujours pas le rapport avec moi.

— Ce jour-là, je suis rentré de l'école avec un ami. On a un peu traîné sur le chemin du retour. Malheureusement, on est arrivé trop tard. Cet ami… c'était Sebastien, lâcha-t-il finalement.

— Non, murmura-t-elle en secouant la tête.

— Il ne voulait pas rompre avec toi à cause des élections toutes proches. Ce voyage en bateau était un piège. Il pensait que tu lui avouerais avoir couché avec moi ; il aurait alors récolté la sympathie des électeurs.

— Non, pas Sebastien ! Je ne te crois pas, dit Cassie en s'écartant.

— C'est la vérité. Pourquoi te mentirais-je ?

Pour Cassie, cela ne faisait aucun doute : son fiancé était incapable de faire une chose pareille.

— Je n'ai rien dit à Sebastien...

— C'est pour ça qu'il m'a demandé d'assister à la cérémonie pour tout déballer devant tout le monde, déclara Matt en observant sa réaction, le visage grave.

— Et tu l'as fait. Félicitations, Matt ! Tu as bien travaillé. J'espère que tu seras heureux dans la vie, explosa-t-elle, en comprenant qu'il l'avait piégée une nouvelle fois. Maintenant, sors d'ici !

17.

— Cass ?

Matt la retint par le bras et la fit se retourner. Elle le regarda, au bord des larmes.

— Tu as fait ce qu'on t'a demandé, dit-elle en libérant son bras. Maintenant, tu peux disparaître de ma vie.

— Je ne partirai pas comme ça. Pas avant que tu aies compris. Ce n'est pas ce que tu crois…

Cassie s'adossa au mur, l'esprit embrouillé. Oh si, elle avait bien compris ! Il avait tout inventé. Absolument tout ! Elle ne voulait pas le croire. Sebastien n'était pas comme ça.

— C'est impossible. Sebastien n'était même pas présent ce soir-là.

— On l'a aidé.

— Le cocktail qu'Eva m'a donné…, murmura Cassie, qui commençait à comprendre.

Elle était abasourdie. Repoussant une mèche rebelle, elle buta contre le peigne qui retenait son voile. Elle l'ôta d'un coup sec et le jeta au loin.

— Elle m'a droguée, c'est ça ?

— Honnêtement, je n'en sais rien, avoua Matt d'une voix douce. Il n'était pas prévu que tu restes à bord du bateau. C'est ma faute, je suis désolé. Je ne pouvais pas me résoudre à te réveiller.

Cassie ne bougeait pas. Elle n'arrivait toujours pas à y croire.

La porte s'ouvrit soudain, la tirant de sa torpeur.

— Bon, ça suffit, je me suis montré assez patient. Qu'est-ce qui se passe à la fin ? lança Sebastien en pénétrant dans la pièce. Qui diable est cet homme ?

Cassie se retourna. Elle voulut répondre mais elle était incapable de prononcer le moindre mot. Eva se tenait juste derrière Sebastien. Le regard enamouré qu'elle lança à ce dernier confirma la théorie de Matt. Tout était clair à présent.

Cassie serra les poings.

— Je ne veux plus t'épouser, Sebastien.

— Mais pourquoi, ma chérie ? demanda ce dernier en feignant la surprise. Je t'aime. Et tous les invités nous attendent. Sans compter la presse…

Cassie respira calmement, prête à lui dire ses quatre vérités. Mais elle repensa à Rob et préféra se taire. Elle ne voulait pas la faire souffrir.

— Je ne t'aime plus, répondit-elle simplement.

— Oh, mon Dieu ! soupira Eva. C'est un véritable désastre. Que va penser votre famille… et la presse ?

Sebastien regarda Eva, stupéfait. Elle aurait fait une très bonne actrice !

Cassie contempla sa magnifique robe blanche – celle qu'elle avait toujours rêvé de porter le jour de son mariage – et froissa le doux satin entre ses doigts. Tout paraissait tellement évident maintenant. Elle avait été stupide et naïve, prenant pour argent comptant les belles paroles de Sebastien, ne se doutant de rien. Plus besoin de se demander comment il s'était débrouillé pour organiser la fête sur le paquebot : c'était grâce à Matt.

Ils l'avaient tous utilisée comme une marionnette. Et à présent, il ne lui restait plus rien, pensa-t-elle en regardant Matt. Non, absolument rien. S'il s'était rapproché d'elle, c'était uniquement afin de protéger sa sœur.

— S'il te plaît ma chérie, tu es seulement un peu nerveuse, ça va passer, déclara Sebastien d'un ton très convaincant.

Cassie n'en revenait pas. Quelle hypocrisie ! Elle avait bien failli commettre la plus grosse erreur de sa vie en épousant cet homme !

Se sentant ignoré, Sebastien quitta la pièce d'un air faussement abattu. Elle entendait clairement les murmures des invités qui attendaient toujours dans l'église. Et elle devinait sans peine ce qu'ils devaient penser.

— Merci de m'avoir avoué la vérité, finit-elle par dire à Matt d'un ton très calme. J'apprécie ton honnêteté, même si elle arrive un peu tard.

Comme les choses auraient été différentes s'il lui avait tout dit à bord du paquebot ! Avant qu'elle se ridiculise devant tout le monde !

— Je ne l'ai pas fait simplement pour Rob, dit-il en s'approchant.

— Ah oui ? Allons, ne me prends pas pour une idiote ! Bientôt, tu vas me dire que tu as fait tout ça pour moi !

— Non, je l'ai fait pour moi ! dit-il en la prenant par les épaules. Parce que je t'aime.

— C'est bon, tu peux arrêter la comédie, lança-t-elle, troublée malgré elle. Tu as joué ton rôle, mais maintenant, c'est terminé.

— Je ne partirai pas sans toi.

— Tu m'as menti, tu as failli me faire l'amour… et maintenant tu m'annonces ça ! Je n'irai nulle part avec toi.

Matt la serra soudain dans ses bras et l'embrassa, étouffant ses protestations.

Ses lèvres étaient telles que dans son souvenir : douces, mais aussi terriblement exigeantes.

— Et maintenant ? demanda-t-il en s'écartant légèrement.

Cassie ne savait plus où elle en était. Comment arrivait-il à la bouleverser à ce point en si peu de temps ? Elle tenta de réprimer son désir. Pas question de se laisser piéger de nouveau. Ça faisait trop mal.

— Tu as fini ? C'est tout ?

— Je ne partirai pas à moins que tu me dises que tu ne m'aimes pas, dit-il en croisant les bras. Je veux l'entendre de ta propre bouche.

Elle n'hésita pas.

— Je ne t'aime pas, murmura-t-elle en baissant la tête.

Puis elle lui tourna le dos, triturant les fleurs de son bouquet.

Elle l'entendit alors s'éloigner d'un pas lourd et hésiter sur le seuil de la porte. Puis il l'ouvrit et la claqua derrière lui. Ça y est, tout était fini. Sa brève histoire avec Matt Keegan était bel et bien terminée.

Elle put alors laisser couler ses larmes sans retenue. Avait-elle eu raison d'agir ainsi ?

Les homsmes étaient tous pareils, songea-t-elle en bataillant avec la fermeture de sa robe. On ne pouvait pas leur faire confiance. Il n'y en avait pas un pour racheter l'autre.

— Mon cœur, mais que se passe-t-il enfin ? s'exclama sa mère, fermant la porte derrière elle.

Cassie essuya ses joues humides. Elle n'avait vraiment pas besoin de ça en ce moment. Sa mère allait lui dire qu'elle s'était montrée stupide, qu'elle-même n'aurait jamais commis la même erreur…

— Pas maintenant, maman.

— Mais tu aimais Sebastien, non ? demanda-t-elle en l'aidant à défaire sa robe.

Celle-ci tomba au sol. Cassie se retourna et l'envoya valser d'un coup de pied rageur.

— Non, maman, je ne l'aimais pas. Je pensais que l'amour était un gage de longévité. Mais regarde où ça m'a menée, dit-elle avec un rire amer. Je ne suis même pas allée jusqu'au bout de la cérémonie !

— Mais pourquoi ? demanda sa mère en se baissant pour ramasser sa robe. Pourquoi ne pas choisir quelqu'un que tu aimes ?

— Parce que je ne voulais pas finir comme papa et toi, lança-t-elle.

— Oh, ma chérie, s'exclama sa mère en la prenant dans ses bras.

Cassie n'arrivait plus à contenir sa douleur. De grosses larmes coulèrent le long de ses joues… Mais pleurer dans les bras rassurants de sa mère ne l'aiderait pas. Il fallait qu'elle affronte la réalité. Elle n'était plus une enfant.

— Je suis désolée, dit-elle avec un pauvre sourire. Je fais vraiment tout en dépit d'' bon sens. Je ne voulais pas te rappeler de mauvais souvenirs.

— Oh, ma chérie, répondit sa mère en la serrant un peu plus fort. Ton père et moi, nous nous sommes mariés parce qu'on croyait qu'être bons amis serait suffisant. On s'entendait bien. On avait les mêmes opinions, les mêmes ambitions. J'ai appris à l'aimer, avec le temps, mais ça n'était pas assez.

Quelle ironie ! songea Cassie. Pendant toutes ces années, elle avait essayé de ne pas reproduire le schéma de ses parents, sans se douter qu'elle se trompait depuis le début.

— Oh, maman. Qu'est-ce que j'ai fait ? Je viens de dire à l'homme que j'aime de s'en aller !

— Si tu l'aimes vraiment, ce n'est pas grave. Cours le rejoindre.

Cassie se dirigea aussitôt vers la porte et saisit la poignée. Elle n'était qu'une idiote. Elle avait failli reproduire la même erreur que ses parents !

— Chérie, dit sa mère d'une voix tendre mais ferme, tu devrais peut-être t'habiller avant…

Cassie baissa les yeux et sourit. Les médias en auraient fait leurs choux gras. Non seulement ils avaient assisté au désastre de son « mariage » avec Sebastien, mais elle n'osait imaginer leur réaction si elle s'était précipité dehors en sous-vêtements…

Elle enfila les vêtements — jean et chemise — qu'elle portait en arrivant. Elle secoua la tête pour redonner du mouvement à ses cheveux laqués et ôta ses boucles d'oreilles.

Voilà, elle était prête à affronter son destin !

— Où est ton voile ? demanda sa mère en replaçant sa robe de mariée sur son cintre.

— Tu crois vraiment que c'est important ?

— Tu pourrais en avoir besoin… la prochaine fois, lui dit sa mère, tout sourire.

— Il est dans la pièce à côté.

Puis elle prit son sac à main. Désormais, elle ne se séparait plus de son portefeuille. Elle l'avait retrouvé dans l'un des cadeaux qu'on lui avait offert sur le bateau. Elle se revoyait à présent, rassembler les cadeaux avec Eva, l'esprit embrouillé par les cocktails. Si seulement elle s'en était souvenue… Les choses auraient été bien différentes. Et si Matt l'avait réveillée, si elle était rentrée chez elle avant le départ du bateau…

Finalement, sa mère avait peut-être raison, son voile pourrait lui resservir plus tôt qu'elle ne l'imaginait.

— Mais j'y pense : je ne sais pas où le trouver ! s'exclama-t-elle, soudain affolée.

— Quelqu'un doit bien le savoir.

En effet. Et Cassie savait exactement à qui s'adresser.

18.

Matt aurait dû s'en douter. Comment avait-il pu imaginer une seule seconde que Cassie et lui puissent avoir un avenir ensemble ? Il avait tout gâché !

Il jeta son sac sur le lit de sa chambre d'hôtel puis commença à rassembler ses affaires.

Dans tout ce désastre, un seul détail le consolait : au moins, Cassie ne s'était pas mariée à ce monstre de Sebastien. Tout le reste, il préférait l'oublier.

Il ne savait pas ce qui lui avait pris de lui avouer ses sentiments de but en blanc. Ce n'était pas le bon moment. Il aurait dû la laisser se calmer. Après un certain temps, elle aurait compris la situation inextricable dans laquelle il s'était trouvé. Mais à présent, il n'y avait plus le moindre espoir.

Matt fourra sa trousse de toilette dans son sac, vérifiant qu'il n'avait rien oublié dans la chambre. Non, plus rien ne le retenait ici.

Il prit son sac et sortit. Il allait retourner à bord de *La Princesse du Pacifique* et travailler d'arrache-pied.

Le portier héla un taxi. Matt n'arrivait pas à croire qu'il avait réussi le tour de force d'empêcher un mariage et de perdre Cassie en une seule et même journée. Cette seule pensée l'oppressait.

— A l'aéroport, indiqua-t-il au chauffeur.

Pas la peine de s'attarder ici. Le chagrin qu'il avait lu dans les yeux de Cassie avait été plus parlant que des mots. Elle ne voulait plus le voir !

Cassie retrouva Sebastien devant l'autel. Les journalistes étant partis, il n'avait plus de raison de jouer la comédie du fiancé éploré.

— Dis-moi où il est, dit Cassie d'un air déterminé.

— Qui ça ?

— Tu le sais très bien. Matt Keegan.

— Enfin, je n'en ai aucune idée !

— Ne joue pas à ce petit jeu avec moi. Je pourrais très bien sortir et faire quelques révélations à la presse. Je suis sûre que ce que j'ai à dire intéresserait beaucoup de monde.

Sebastien la regarda, l'air gêné. Il essaya de se donner une contenance, ne sachant pas très bien ce que Matt lui avait dit.

— C'est fini, Cassandra. Laisse-le tranquille.

— Allez, Sebastien, insista-t-elle en le voyant pâlir. J'ai deux ou trois choses à lui dire.

— Je crois l'avoir entendu parler d'un hôtel…

— Quel hôtel ?

— Le Millenium. Cassie, tu es sûre que tout va bien ? Je me doute que l'annulation du mariage a dû être un choc pour toi mais…

— Au revoir, Sebastien. J'espère que tu obtiendras tout ce que tu mérites.

— Eh bien, je te remercie, Cassandra, dit-il en lui adressant son plus beau sourire.

Oui, elle espérait vraiment qu'il aurait tout ce qu'il méritait, et plus encore.

Cassie s'accouda au comptoir du hall de l'hôtel, dépitée. Matt était parti. Elle respira profondément. Elle ne pouvait pas le perdre maintenant. Non, pas maintenant.

— Quelqu'un sait où il est allé ?
— Peut-être le portier.

Cassie exhorta le chauffeur de taxi à rouler plus vite. En regardant par la vitre, elle vit un avion décoller. Mon Dieu, il était peut-être trop tard !

C'était de la folie de poursuivre Matt ainsi à travers les rues de Sydney. Elle aurait pu simplement regarder dans l'annuaire pour retrouver son adresse. Mais si Matt lui ressemblait un tant soit peu, il retournerait à bord du paquebot et se plongerait dans le travail pour oublier.

Lorsque le taxi s'arrêta enfin devant l'aéroport, Cassie descendit précipitamment et s'engouffra dans le hall, le cœur battant à tout rompre.

C'était absurde, elle n'avait aucune chance de le retrouver parmi tous ces gens. De plus, il était certainement déjà parti. Les yeux brûlant de larmes contenues, elle scruta la foule une dernière fois.

Elle faisait mine de rebrousser chemin quand soudain, elle se figea. Matt était assis un peu plus loin, le visage dissimulé derrière un journal. Son cœur s'emballa. Elle respira à fond et se dirigea vers lui.

— Quelle heure est-il ?

Elle vit les doigts de Matt se crisper sur les pages du journal. Il le baissa et releva lentement les yeux, la considérant d'un air incrédule.

— Cass…, dit-il d'une voix étranglée. Qu'est-ce que tu fais ici ? Tu as été très claire tout à l'heure. Et je respecte ta décision. Je m'en vais. Tu ne me reverras plus.

— Oui, mais ça ne me convient pas du tout, finalement. Et je tenais à te le dire, rétorqua-t-elle en croisant les bras.

— C'est vrai ?

— Oui. Je veux te revoir, fit-elle, tout sourire.

— Pourquoi ? demanda Matt et repliant son journal.

Elle se pencha vers lui, le cœur prêt à exploser. Il fallait qu'elle se jette à l'eau. Elle plongea son regard dans ses magnifiques yeux sombres et y lut tellement d'amour que toutes ses craintes s'évanouirent instantanément.

— Parce que je veux nous donner une chance.

— Pourquoi devrais-je te croire ? murmura-t-il.

— Matt, je connais peut-être toute la vérité, mais j'ai perdu de vue l'essentiel, répondit-elle en riant.

— Qu'est-ce que c'est ? demanda-t-il, prudent.

— Je t'aime, Matt Keegan.

Le simple fait de prononcer ces trois mots la soulagea d'un poids énorme. Elle retint son souffle.

— Cass, murmura-t-il en tendant les bras vers elle.

— Je t'aime, répéta-t-elle en se blottissant contre lui sans aucune hésitation.

Quel soulagement de pouvoir le dire et le redire !

Matt la serra dans ses bras puis glissa une main derrière sa nuque et attira son visage vers le sien, l'embrassant à perdre haleine.

— J'ai cru que je t'avais perdue, murmura-t-il un moment plus tard.

— Non. J'étais simplement trop obnubilée par le passé, répondit-elle en l'étreignant de toutes ses forces. Mais j'ai finalement réussi à comprendre ce qui comptait vraiment.

— Oui, acquiesça Matt avant de l'embrasser de nouveau, balayant toutes ses peurs.

*
* *

Cassie et Matt, étroitement enlacés, entrèrent en trombe dans la chambre d'hôtel. Ils ôtèrent fiévreusement leurs vêtements sans cesser de s'embrasser et de se caresser, comme s'ils ne pouvaient se rassasier l'un de l'autre.

Matt ferma la porte d'un coup de pied et s'immobilisa.

Cassie se retourna. La télévision, déjà allumée, diffusait des images de son mariage ! Elle se vit remonter l'allée en robe blanche.

— C'est toi, dit-il, surpris.

Soudain, Eva et Sebastien apparurent à l'écran. Ils célébraient leur petite victoire de façon très intime dans l'annexe.

— Comment les journalistes ont-ils réussi à filmer ça ? demanda Cassie en regardant Matt. Il n'y avait pas de caméra dans cette pièce.

Ce dernier souriait, l'air très satisfait.

— Si, il y avait mon caméscope. J'avais dû le laisser allumé.

Cassie sourit. Quelqu'un avait dû trouver la vidéo et l'avait remise à la presse. Elle réprima un sourire. Ça n'augurait rien de bon pour la carrière de Sebastien !

— Eh bien, dit-elle en se plaquant contre le corps de Matt, je crois qu'après tant d'émotions, nous avons bien mérité un peu de repos.

— Du repos, tu en sûre ? fit Matt en la soulevant dans ses bras tandis qu'il se dirigeait vers le lit.

Chère lectrice,

Vous nous êtes fidèle depuis longtemps?
Vous venez de faire notre connaissance?

C'est pour votre plaisir que nous avons
imaginé un rendez-vous chaque mois
avec vos auteurs préférés, vos
AUTEURS VEDETTE dans les
collections Azur et Horizon.

Les AUTEURS VEDETTE vous
donneront rendez-vous pour de
nouveaux livres vedette.

Pour les reconnaître, cherchez
l'étoile... Elle vous guidera!

Éditions Harlequin

HARLEQUIN

LE FORUM DES LECTEURS ET LECTRICES

CHERS(ES) LECTEURS ET LECTRICES,

VOUS NOUS ETES FIDÈLES DEPUIS LONGTEMPS?

VOUS VENEZ DE FAIRE NOTRE CONNAISSANCE?

SI VOUS AVEZ DES COMMENTAIRES, DES CRITIQUES À
FORMULER, DES SUGGESTIONS À OFFRIR, N'HÉSITEZ
PAS… ÉCRIVEZ-NOUS À:
     LES ENTERPRISES HARLEQUIN LTÉE.
     498 RUE ODILE
     FABREVILLE, LAVAL, QUÉBEC.
     H7R 5X1

C'EST AVEC VOS PRÉCIEUX COMMENTAIRES QUE NOUS
ALLONS POUVOIR MIEUX VOUS SERVIR.

DE PLUS, SI VOUS DÉSIREZ RECEVOIR UNE OU
PLUSIEURS DE VOS SÉRIES HARLEQUIN PRÉFÉRÉE(S)
À VOTRE DOMICILE, NE TARDEZ PAS À CONTACTER LE
SERVICE D'ABONNEMENT; EN APPELANT AU
(514) 875-4444 (RÉGION DE MONTRÉAL) OU 1-800-667-4444
(EXTÉRIEUR DE MONTRÉAL) OU TÉLÉCOPIEUR
(514) 523-4444 OU COURRIER ELECTRONIQUE:
AQCOURRIER@ABONNEMENT.QC.CA OU EN ÉCRIVANT À:
     ABONNEMENT QUÉBEC
     525 RUE LOUIS-PASTEUR
     BOUCHERVILLE, QUÉBEC
     J4B 8E7

MERCI, À L'AVANCE, DE VOTRE COOPÉRATION.

BONNE LECTURE.

HARLEQUIN.

VOTRE PASSEPORT POUR LE MONDE DE L'AMOUR.

COLLECTION HORIZON

Des histoires d'amour romantiques qui vous mènent au bout du monde!

Découvrez la passion et les vives émotions qu'apportent à la Collection Horizon des auteurs de renommée internationale!

Captivantes, voire irrésistibles, ces histoires d'amour vous iront assurément droit au coeur.

Surveillez nos trois nouveaux titres chaque mois!

GEN-H-R